# DONDERKAT

Meer informatie:
www.uitgeverijholland.nl
www.thijsgoverde.nl

# THIJS GOVERDE

# DONDERKAT

## MET TEKENINGEN
## VAN ELLY HEES

UITGEVERIJ HOLLAND, HAARLEM

*Voor Monic*
*met dank voor twintig jaar vriendschap*

© Thijs Goverde, 2010

Illustraties © Elly Hees, 2010

Grafische vormgeving Elly Hees

ISBN 9789025111175

NUR 283

# INHOUD

# 1

# EEN ONTPLOFFING EN
# EEN WAT-DAN-OOK-BEEST

Het begon met een knal. Een krankzinnig harde knal waar de ramen van trilden; zelfs de grond leek even te schudden. Mijn vader legde zijn vork neer (we zaten aan het ontbijt) en vroeg bleek: 'Wat was dat?'

'Het kippenhok van meneer Dogger,' zei mijn moeder. 'Kijk maar.'

In onze achtertuin was alles rustig, maar uit de tuin van onze achterbuurman, meneer Dogger, steeg een grote zwarte rookwolk op.

Nog geen seconde later viel er, in een regen van bloed en verkoolde veren, een halve kip op ons grasveld.

'Ja,' zei mijn moeder, 'ik weet bijna wel zeker dat het 't kippenhok was.'

'Ja maar... hoe kan een kippenhok nou ontploffen?'

'Dat doen ze met dynamiet, schat,' legde mama uit. Mama weet

al dat soort dingen, want ze is een wetenschapper. Een echte, met een witte jas. Ze werkt in een laboratorium, een groot gebouw vol glazen buisjes en ingewikkelde apparaten.

'Ontploffen kan ook met buskruit,' zei ik.

'Of TNT,' vulde mijn broer Michael aan.

'TNT en dynamiet is hetzelfde,' zei mama. 'En eet met mes en vork. We zijn hier niet in de binnenlanden van Boegoe-Boegoe.'

Wij zijn het enige gezin dat ik ken, werkelijk het enige, dat zijn boterhammen eet met mes en vork. Echt waar, ik heb er speciaal op gelet. Alle vriendjes bij wie ik ooit heb gelogeerd eten hun boterhammen met hun handen. Ik ben zelfs expres wezen logeren bij kinderen die ik niet aardig vond, alleen maar om te zien hoe ze hun ontbijt aten.

Nou, allemaal met hun handen hoor.

Behalve degenen die ontbijten met cornflakes, die gebruiken een lepel. Hoewel ik moet zeggen dat ik een klasgenootje heb dat zelfs zijn cornflakes met zijn handen eet. Hij vist ze met zijn vingers uit de melk en klokt daarna in één keer zijn kommetje melk achterover.

Dat vind ik ook weer overdreven, maar ik bedoel maar.

Wij zijn de enigen die met vorken ontbijten.

Dat komt door mijn moeder. Die is erg op tafelmanieren gesteld.

'Tafelmanieren,' zo vindt zij, 'zijn het begin van beschaving. Wie niet netjes eet aan tafel, kan nooit een beschaafd mens wezen.'

Zelf eet ze altijd buitengewoon keurig. Zelfs een banaan pelt ze met mes en vork, want 'We zijn hier niet in de binnenlanden van Boegoe-Boegoe.'

Ooit zei Michael: 'Weet je het eigenlijk wel zeker, mama, dat we hier niet in Boegoe-Boegoe zijn? Iedereen hier eet met zijn handen!'

'Oh,' zei mijn moeder, 'maar de kinderen in Boegoe-Boegoe eten niet gewoon met hun handen. Nee hoor, ze eten nog veel viezer.'

'Vast niet zo vies als Jordi en Britni,' zei Michael.

'Wie zijn dat?'

'Dat zijn kinderen uit Michaels klas,' vertelde ik. 'De hele school kent ze. Iedereen noemt hen De Vieze Tweeling. Ze zitten altijd onder de vlekken en vegen en soms kleeft er een stukje kaas achter hun oor. Zó vies eten ze.'

'Wat doen ze dan?' vroeg mijn moeder geïnteresseerd.

'Ze scheuren met hun handen hun boterhammen in stukjes,' zei Michael. 'En dan gooien ze die stukjes naar elkaar toe, over de tafel heen. Met hun mond proberen ze de stukjes op te vangen – maar dat lukt bijna nooit. Het meeste valt op de grond, of blijft in hun haren hangen. Of aan hun T-shirt plakken, als het bijvoorbeeld brood met appelstroop is. Dan pakken ze de stukjes op van de grond, of uit hun haren of waar dan ook vandaan, en ze proberen het opnieuw. Net zo lang tot al het brood in hun monden is beland.'

'Wat grappig,' zei mijn moeder. 'De kinderen uit Boegoe-Boegoe doen net zoiets. Maar dan minder netjes.'

'*Nog* minder netjes?' Ik kon me niet voorstellen dat er kinderen bestonden die het voor elkaar kregen om minder netjes te zijn dan De Vieze Tweeling.

'Nog minder netjes,' knikte mijn moeder.

'Kan niet,' zei Michael.

'Kan wel,' antwoordde mijn moeder. 'Want dit is wat ze doen: eerst nemen ze een hap van hun boterham. Meteen daarna nemen ze een slok melk en dan kauwen ze de hele boel tot een vochtige pulp. En dan...'

'Wat dan?' vroegen wij gespannen.

'Dan spugen ze die natte kledder zó, hup, in de keel van hun broertje of zusje.'

'Ieargh,' huiverden wij.

'En als ze missen, dan slobberen ze de boel op van de grond en proberen het nog een keer.'

9

'Ieieieargh!'
'Dus wees maar blij dat jullie niet in Boegoe-Boegoe wonen,' besloot mijn moeder. 'En eet fatsoenlijk met mes en vork.'
En dat deden we.
'Toch,' zei mijn vader, 'kun je moeilijk volhouden dat we hier in een beschaafd land leven. Ik bedoel: ontploffende kippenhokken, dat is toch niet normaal?'
'Nee,' zei mijn moeder. 'Normaal is het niet. Zelfs niet in Boegoe-Boegoe.'
'Waarom in vredesnaam zou iemand een kippenhok opblazen?'
'Nou,' zei mijn moeder, 'ik kan me daar wel iets bij voorstellen. Het gekraai! Van die haan! Daar werd je toch helemaal krankjorem van? De hele nacht ging-ie door. Stipt om het kwartier. Ik geloof werkelijk dat het beest dacht, dat-ie een koekoeksklok was.'
'Tja, die haan,' gaf papa toe. 'Dat was ook niet bepaald één van *mijn* beste vrienden. Maar ja...' Hij wees op de verkoolde veertjes die rond dwarrelden over het gazon. 'Wie doet er nou zoiets?'
'Iemand met behoefte aan nachtrust,' zei mijn moeder. 'En een staaf dynamiet.'
Op dat moment klonk er een oorverdovend gebrul. Het kwam uit de tuin van de achterbuurman.
'Nonde-nonde-hier-en-gunter! Mijn kippen! Mijn kippen van zeven vijftig per stuk! Wie heeft dit gedaan? Welke vuile smerige...' Vloekend en tierend stond meneer Dogger tussen de smeulende resten van zijn kippenhok. Zijn hoofd was zo rood als aardbeienjam en zijn wangen trilden als puddinkjes.
Waarmee ik niet wil zeggen dat hij er smakelijk uitzag.
Oh nee, integendeel!
Meneer Dogger was morsig. Alles aan hem was vies en kapot. Zijn afgetrapte schoenen werden door rafelige eindjes veter bij elkaar gehouden. De broek die om zijn benen hing, glom van de vetvlekken, want meneer Dogger gebruikte nooit een servetje.

Hij veegde zijn handen gewoon af aan zijn broek. Nu moet ik toegeven dat hij daar in zekere zin gelijk in had: die broek was alleen nog maar goed om als servetje te gebruiken. Of nog beter: als poetsdoek. Voor broek was hij in elk geval niet geschikt.

'Dit is nou echt een goeie ouwe broek,' zei meneer Dogger wel eens. 'Zo worden ze tegenwoordig niet meer gemaakt.' Dat laatste was zeker waar, want het ding was zeventig jaar geleden al hopeloos uit de mode. Hij was meneer Doggers overgrootvader geweest, die hem gekocht had op een regenachtige dag in oktober van het jaar 1915. Sindsdien had de broek dag na dag na dag om de kont van een Dogger geslobberd. Eerst overgrootvader, toen opa, daarna vader en nu kon je het kledingstuk alweer twintig jaar lang dagelijks zien wapperen rondom de bleke benen van meneer Dogger zelf.

Door een verbijsterend toeval was de stof in al die jaren nergens gescheurd. Wel was de boel op sommige plekken gekrompen en op andere plaatsen gaan lubberen. De rits van zijn gulp was stuk, dus die stond altijd open. Kortom: je kon nauwelijks meer zien dat het ding ooit als broek was bedoeld.

Boven deze broek begon het streepjesoverhemd van meneer Dogger. Dat was minder antiek, maar niet minder weerzinwekkend. Het zat onder de vlekken van de meest uiteenlopende vormen en kleuren. Het meest opvallend waren de grote gele zweetvlekken onder zijn oksels.

Verder waren er koffievlekken, inktvlekken, wijnvlekken, ketchupvlekken, jusvlekken, mayo-vlekken en nog een hele hoop meer. Ze zaten op zijn kraag, op zijn mouwen, op zijn kwabbige hangbuik (plaats genoeg!) en zelfs op zijn rug. Hoe het hem was gelukt om ketchupvlekken op zijn rug te maken, wist niemand. Maar ze *zaten* er.

En dit waren alleen nog maar zijn kleren. Meneer Dogger zelf was nog veel groezeliger. Zijn huid was bleek. Een beetje geelachtig, zelfs. Behalve zijn handen. Die waren goor en grauw. De

wijs- en middelvinger van zijn rechterhand, en zijn duim, waren bruin van het vasthouden van de walgelijke stinksigaren die hij rookte. Sommige van zijn nagels waren veel te lang, met gore zwarte randen; de andere waren schimmelig wit afgebrokkeld. Zijn grijs met blonde haar zat in vettige pieken tegen zijn schedel geplakt en hij had altijd een stoppelbaard.

Meneer Dogger had een hond, een rochelende buldog die Snoesje heette. Over de vreselijke viesheid van dat beest zou ik je hele verhalen kunnen vertellen. Maar niet nu. Geen tijd!

Want terwijl meneer Dogger daar stond te tieren, bij zijn ontplofte kippenhok, gaf Michael mij onder tafel een schop. Geen harde gemene rotschop, maar een stille let-op-schop.

'Wat? Waar?'

'Dat! Daar!' Ik keek waar hij wees en inderdaad: er bewoog iets in de struiken van de buren.

'Wat is dat?' vroeg ik.

'Geen idee,' zei Michael. 'Ja, een struik met iets erin.'

'Dat is een vos,' besloot mijn vader. 'Die beesten komen steeds brutaler de stad in. Hij was waarschijnlijk op weg naar de kippen van meneer Dogger. Nou, dan heeft-ie behoorlijk spectaculair pech, haha!'

'Ach kom,' zei mama, 'dat hok was honderd procent vosbestendig. Schokbeton en roestvrij staal! Daar kon geen vos naar binnen. Nooit van z'n leven.'

'Misschien heeft dat beest het hok wel opgeblazen,' fantaseerde Michael. 'Om bij de kippen te kunnen.'

'Ach, onzin,' snoof papa. 'Vossen kunnen geen dynamiet aansteken want ze hebben geen handjes. En ook geen lucifers.'

'En geen dynamiet, schat,' vulde mijn moeder aan. 'Vergeet het dynamiet niet! Een ontploffing wordt pas echt een knaller met een staafje dynamiet.'

'Doe effe normaal, mam,' zei ik streng. 'Je klinkt als een of andere dynamietreclame.'

'Maar ze heeft wel gelijk,' zei papa. 'Hoe zou een vos aan dynamiet moeten komen?'

'Ik geloof niet, dat het een vos *is*,' zei Michael turend. 'Volgens mij is het groter dan een vos. En vossen zijn toch roodbruin? Dit beest - wat het dan ook is - lijkt me net iets lichter. Oranjerood, zeg maar.'

'Ach, roodbruin, oranjerood, wat een onzin! Natuurlijk is het een vos.'

'Nietes!'

'Wat zou het anders moeten zijn?'

'Weet ik veel. Een grote hond. Of een lynx. Of een wolf.'

'Die zijn niet oranje,' zei ik. 'Misschien is het wel een orang oetan, die ergens ontsnapt is of zo. Of... een heel nieuw beest, een zeldzaam beest, zodat je heel beroemd wordt als je het vangt.'

'Jaaah!' riep Michael. 'Laten we hem gaan vangen! Dan worden we beroemd!'

We sprongen op van tafel, maar mama zei: 'Hoho! We staan pas op als ie-der-een klaar is met eten. We zijn hier niet in de binnenlanden van Boegoe-Boegoe.'

'Wij zijn klaar!' riepen wij.

'Ik ook,' zei papa.

'Ik niet,' zei mama, en ze smeerde nog een boterham voor zichzelf. Heel traag at ze hem op, het leek wel alsof ze 't expres deed. Toen ze eindelijk klaar was en wij naar buiten stormden, was het wat-dan-ook-beest nergens meer te zien. De buren hadden de hele tijd over de schutting staan kijken naar het ontplofte kippenhok en de tierende meneer Dogger. Het beest was achter hen langs de tuin uitgeglipt.

Maar we bleven opletten, en drie weken later zag ik het weer.

13

# 2

# EEN BIKINIWINKEL EN EEN DONDERKAT MET HANDJES

De zomervakantie was aangebroken en ik moest een nieuwe bikini. Het regende dat het goot, dus zwemmen gingen we toch niet, maar we moesten en zouden naar de stad voor een bikini. 'Anders zit je zonder, als het straks mooi weer wordt,' zei mijn moeder. 'En dan kunnen we niet naar het strand.'
'Nou en? We gaan toch niet naar het strand als het mooi weer wordt.'
'Oh nee?'

'Nee, dan gaan we naar de stad om paraplu's en regenjassen te kopen.'

'Dat zien we dan wel weer. Nu gaan we een bikini kopen.'

'Maar ik héb nog een bikini!'

'Die heeft geen bovenstukje meer. Of liever gezegd: die heeft wel een bovenstukje, maar dat ligt op het strand in Normandië, want daar heb jij het vorig jaar kwijt gemaakt. Weet je nog?'

'Waarom moet ik zo nodig een bovenstukje? Ik heb nog niet eens iets om d'r in te doen.'

'Meisjes moeten bovenstukjes,' zei mama. 'We zijn hier niet in de binnenlanden van Boegoe-Boegoe. En nou opschieten, want de winkels gaan zo dicht.'

We schoten op en de bikiniwinkel was nog open, maar het scheelde niks.

'Ik ga bijna sluiten, hoor,' waarschuwde de winkeldame.

Mama zei: 'We zijn zo klaar.' Dat was helemaal niet waar. We waren wel een half uur bezig. Mama kan soms een beetje een zeurkous zijn, of een pietje precies; dit keer was ze niet een *beetje* een zeurkous. Ze was echt afschuwelijk.

'Deze staat je *nu* wel mooi,' zei ze bijvoorbeeld, 'maar *straks* ben je natuurlijk bruiner, en wie weet hoe-die dan staat?'

'Tja mevrouw,' siste de bikinidame met opeengeklemde kaken, 'dat is moeilijk te zeggen. U zult toch een keer een keuze moeten maken,' en ze keek veelbetekenend naar de klok.

'Hmm. Heeft u ook badpakken?'

'Helaas wel,' antwoordde de dame. 'Die wilt u zeker ook allemaal zien?'

'Als het niet teveel moeite is...' zei mijn moeder met haar vriendelijkste glimlach.

'De klant is koning,' knarste de dame.

Eindelijk, na een half uur, zei mijn moeder tegen mij: 'Wat vind je, Gaby? Toch maar die eerste doen?'

'Best,' zei ik. Voor mijn part kocht ze een eskimopak. Als we maar

naar huis konden. Ik was moe en verveeld en ik had honger.
Toen we terugliepen naar de auto (de bikinidame had de win-
keldeur met een woeste klap achter ons dichtgeslagen) vroeg ik:
'Mag ik een Mjamburger?'

Naast de bikiniwinkel stond een SmikSmek Mjamburgerbar,
en iedereen zei dat die van SmikSmek de beste waren. Tientallen mensen zaten daarbinnen hun Mjamburgers te eten, en
hun milkshakes en hun SmikSmek-menu's, met gezichten die
glommen van genoegen, en ik mocht er nooit een en dat was
niet eerlijk.

'Mag ik alsje-, alsje-, alsjeblieft een Mjamburger?' vroeg ik.

'Geen denken aan.'

'Maar waarom dan niet?'

'Ten eerste heeft papa waarschijnlijk het eten al klaar. En bovendien... laat ik het zo zeggen: wat gebeurt er met eten dat je
inslikt?'

'Dat komt er aan de achterkant weer uit,' zei ik. 'Dat weet een
kind.'

'Niet precies,' zei mijn moeder. 'Er komen tenslotte geen Mjamburgers uit jouw achterkant.'

'Nee, tuurlijk niet, ik mág ook nooit een Mjamburger.'

'Inderdaad. Maar wat ik bedoel is... Kijk, er komen ook geen boterhammen met hagelslag uit jouw achterkant. En geen maca-
roni.'

'Nee, er komt...'

'Ja, ik weet heel goed wat eruit komt,' zei mama haastig. 'Ik bedoel maar: er komt iets anders uit dan erin gaat, ja? Een deel van
je eten wordt veranderd in, eh, je-weet-wel, en de rest van je eten
wordt veranderd in... Nou?'

Dat was een makkie; ik had het antwoord vorige week gezien in
een leerzaam programma op tv waar ik elke dag naar keek (omdat het niet meetelde voor mijn halve uur tv-tijd per dag).

'Je maag breekt het eten in heel kleine stukjes en daar maakt je

lijf dan vlees van, en botten en bloed en zo,' antwoordde ik tri-omfantelijk.

'Heel goed,' zei mijn moeder. 'Je bent van eten gemaakt. Je bent dus wat je eet, ja? Eet je gezond eten, dan ben je gezond en eet je ongezond eten, dan ben je ongezond.'

'En Mjamburgers zijn zeker ongezond,' zuchtte ik.

'Ook dat,' zei mama. 'Maar bovenal: ze zijn *goedkoop*. Als je ze zou eten, zou je zelf ook goedkoop zijn. En *mijn* dochter is *niet* goedkoop.'

Ondertussen waren we aangekomen op de parkeerplaats achter de winkels.

Mama maakte de auto open. 'Stap in,' zei ze. 'Treuzelen heeft geen zin. Je krijgt geen goedkope SmikSmek-rommel en daarmee uit.'

Maar ik had iets gezien. Tussen de vuilcontainers achter de Mjamburgerbar zat het. Het geheimzinnige wat-dan-ook-beest!

Ik wist het zeker. Ik had maar een kleine glimp gezien, maar het was hetzelfde oranjerood als in de tuin van de buren, glimmend van de regen. Watervlug was het weggedoken toen wij eraan kwamen, maar niet vlug genoeg.

Ik rende naar de containers toe en liep eromheen. Het beest sprong achter de container vandaan, *precies* toen ik eromheen aan het lopen was. Ik zag niet meer dan een oranjerode flits, die tussen de geparkeerde auto's verdween.

Maar zó gemakkelijk zou het me niet ontsnappen!

Ik vloog de parkeerplaats op. Uit mijn ooghoek zag ik in de verte iets oranjeroods. Ik rende die kant op. In een achteruit-kijkspiegel zag ik een oranjerode glans - Het beest was op een of andere manier achter mij langs geslopen. Ik draaide me om en weg was het. Ik keek onder de auto's door of ik ergens pootjes zag.

De adem stokte mij in de keel.

Ik zag geen pootje.

Ik zag een handje.

Een klein, rood handje.

'Gaby!' riep mama. 'Ga-by! Wat ben je toch allemaal aan het doen?'

'Ik zie het beest!' riep ik terug. 'Het is een aap! Het heeft handjes!'

Zigzaggend tussen de auto's rende ik naar de plaats van het handje toe. Helaas: het beest was alweer verdwenen en ik vond het niet meer terug.

Thuis vertelde ik alles opgewonden aan papa en Michael. Tijdens het eten bleven we erover doorpraten. Michael en ik wisten zeker dat het beest een aapje was. Ontsnapt uit een dierentuin? Een circus? Van een verdwaalde zeeman geweest?

Onze ouders geloofden er niks van. Het was gewoon een vos.

Haha, een vos met handjes, domme papa en mama.

Misschien dan twee beesten? De eerste keer een vos, en op de parkeerplaats gewoon een kind?

'Het had geen kleren aan, mam. En kinderen zijn niet oranjerood.'

Nou ja, we zouden er nu toch wel niet meer achter komen. En haal je ellebogen van tafel, we zijn hier niet in Boegoe-Boegoe.

De volgende morgen, aan het ontbijt, keek papa op van zijn krant en zei: 'Nou zeg! jullie waren er net op tijd bij, met die bikini!'

'Hoezo?'

'De bikiniwinkel is ontploft.'

'Wat?'

Het stond in de krant, op de voorpagina. De halve bikiniwinkel was de lucht ingevlogen. De Mjamburgerbar ernaast was compleet van de aardbodem verdwenen. Er was nog geen uitje teruggevonden. Alleen de vuilniscontainer, die lag compleet

in de kreukels aan de overkant van de parkeerplaats. Ergens op de zwartgeblakerde resten van de container had de politie een vreemde spreuk ontdekt:

DONDER

WAS HIER

'Dat zegt toch niks?' vroeg mama zich af. 'Dat soort dingen staat op elke muur en elke vuilnisbak, tegenwoordig.'
'De politie vindt het een belangrijke aanwijzing,' zei mijn vader. 'Tenminste, dat staat hier. Gelukkig zijn er geen doden gevallen.'
'Denk jij wat ik denk?' zei ik tegen Michael.
'Weet ik veel,' zei Michael. 'Hangt ervan af wat je denkt.'
'Ik denk aan het beest! Twee ontploffingen in drie weken, hier in de stad! En allebei de keren was het beest in de buurt! Ik weet wat het is... Het is geen aap en al helemaal geen vos. Het is... een Donderkat.'
'In dat geval,' zei Michael peinzend, 'dacht ik niet wat jij dacht. Maar,' vervolgde hij enthousiast, 'nu denk ik het wel! Een donderkat! Wauw! Een donderkat met handjes!'
'Jullie,' zei mama zuinigjes, 'zien duidelijk teveel tekenfilms. Een half uur tv per dag is toch nog wat aan de ruime kant.'
'Misschien,' antwoordde ik, 'zie jij te weinig tekenfilms. Dat je daarom je fantasie niet durft te gebruiken.'
'Ik ben een wetenschapper,' zei mama. 'Wij mógen geeneens fantasie. Dat beïnvloedt de resultaten, namelijk. Dat doet me eraan denken: ik moet naar mijn werk. Dag lieve schatten, fijne dag allemaal!'
En weg was ze.
'Moet jij niet naar je werk?' vroegen we aan papa.
Nee, dat hoefde niet, het was vakantie, nietwaar, wij hoefden

niet naar school en er moest iemand thuisblijven om voor ons te zorgen.

'Maar normaal kun je nooit zomaar een dag thuisblijven,' protesteerden wij. Wij vonden het heel jammer, dat papa thuisbleef. Wij moesten serieus aan de slag, want we hadden een hoop in te halen. Al sinds de meivakantie hadden we geen tekenfilms meer gezien! Ja, een half uurtje per dag – dat tikt niet aan. Onze fantasie was op sterven na dood. Een paar dagen stevig doorkijken, dat hadden we nodig! Om van de computerspelletjes nog maar te zwijgen.

Maar ja, met een papa in huis konden we dat wel vergeten. Dat werd verplicht buitenspelen. Of, als we pech hadden, met z'n allen naar het museum.

'Blijf je alleen vandaag thuis, of ook de rest van de vakantie?' vroeg Michael ongerust.

'In ieder geval de hele vakantie,' zei papa. 'En misschien daarna ook nog wel. Ik ben vorige week ontslagen, namelijk. Nou, wat zullen we vandaag eens gaan doen? Ik had zo gedacht: als we nou eens met z'n allen naar het museum gingen? In het Nationale Lampenkappenmuseum is er een tentoonstelling over lampenkappen in de jaren tachtig. Toen hadden ze toch een rare lampenkappen! Je lacht je dóód, echt waar. Dus dat is een prima museum om mee te beginnen.'

'Beginnen?' vroeg ik benauwd. 'Hoezo: beginnen?'

'Nou,' zei papa, 'we kunnen niet ver weg op vakantie dit jaar. Dat is te duur, nu ik ontslagen ben. Dus ik heb voor ons allemaal museumjaarkaarten gekocht, dan kunnen we gratis elk museum in, en...'

'Waarom laat je je dan ook ontslaan!' riep Michael woest. 'Dat moeten papa's helemaal niet doen! Dat is volkomen onverantwoordelijk!'

'Ik heb het expres gedaan,' zei papa streng. 'En ik heb er een heel goede reden voor.'

'Wat dan?' wilden wij weten.

'Ik heb op mijn werk,' fluisterde mijn vader, 'een geheim ontdekt. Een groot en afschuwelijk geheim.'

'Wat voor geheim?' vroegen wij ademloos.

'Dat wil ik jullie niet vertellen. Het is té afschuwelijk. Jullie zouden er nachtmerries van krijgen.'

'Niet eerlijk,' loeiden wij. 'Jij lekker geheimpjes hebben en je laten ontslaan, en ons laat je zitten met de lampenkappen!'

Mijn vader haalde zijn schouders op. 'Het leven is nou eenmaal niet eerlijk, jongens.'

Michael en ik zuchtten diep, keken elkaar in de ogen en rechtten de schouders. Dit werd zeuren. Lang, methodisch en genadeloos zeuren.

Goed zeuren is een kunst. Lang niet ieder kind kan het, ook al denken de grote mensen van wel. Je moet niet alleen kunnen jengelen, huilen, dreigen, stampvoeten en mokken. Je moet het allemaal afwisselen op precies de goede manier. En slim samenwerken. Precies tegelijk mokken, of juist dat de ene dreigt terwijl de ander huilt. Soms moet je even ophouden met zeuren, om dan, nét als je vader opgelucht ademhaalt, plotseling keihard te gaan gillen. Maar je moet zorgen dat je niet hees wordt, of moe. Je moet het urenlang vol kunnen houden. Ja, er komt heel wat bij kijken.

En vergis je niet in onze vader. Dat is een keiharde, hoor! Het duurde drie volle uren voordat hij eindelijk brak.

'Goed dan. Ik zal het jullie vertellen. Maar ik wil geen gezanik als je er niet van kunt slapen.'

Hij keek naar de achtertuin, alsof hij bang was dat daar spionnen zouden staan, in regenjassen en met afluisterapparatuur. Daarna boog hij zich voorover, en begon fluisterend met zijn ongelooflijke verhaal.

## 3

# DE MISDADEN VAN MENEER DOGGER

'Weten jullie waar ik precies werk?' vroeg mijn vader. 'Werk*te*,' verbeterde hij zichzelf grimmig.

We knikten. 'Bij de bank.'

'Ja, maar bij *welke* bank?'

'Die hoge met die glimramen, bij het grote kruispunt,' wist Michael.

'Ik bedoel eigenlijk: weten jullie hoe die bank precies heet?'

Nee. Wisten we niet.

'De hoge bank met de glimramen,' vertelde mijn vader, 'is het hoofdkantoor van een van de grootste banken ter wereld: de Doggersbank. We hebben nog duizenden andere kantoren, in alle steden en dorpen van het land en ook in heel verre buitenlanden. Van New York tot Nizjni Novgorod, van Nuuq tot Nairobi en noem het allemaal maar op. Sao Paulo. Hong Kong.

In al die kantoren zitten bankiers hun bankierswerk te doen. Ze lenen geld uit, mensen lenen geld aan hén uit, ze kopen aandelen, ze huren aandelen die ze weer terugverhuren aan de eigenaars met geld dat ze hebben geleend bij andere banken in ruil voor papieren met nummertjes erop, afijn heel ingewikkeld allemaal.

En al die ingewikkeldheid, al het geleen en geruil en gehandel, wordt bestuurd vanuit één kantoor: dat hoge met de glimramen aan het grote kruispunt. Daar zit een grote lading opperbankiers de hele boel in de gaten te houden en te zorgen dat het een beetje klopt allemaal. En de grote hoofd-opper-bankier is... nou? Wie denk je?'

Wij hadden geen idee. Jij wel natuurlijk, want jij hebt de titel van dit hoofdstuk gelezen, maar wij hadden het nog niet begrepen.

'Nou, denk eens na,' drong papa aan. 'Wie zou er de baas zijn van de Doggersbank? Wie anders dan...'

We snapten het nog steeds niet.

'Meneer Dogger! Onze achterbuurman!'

We konden onze oren niet geloven, Michael en ik.

'Kan niet,' zei Michael.

'Kan wel,' zei papa.

'Maar zo'n hoge bankbaas moet toch hartstikke rijk zijn?'

'Dat is hij ook,' hield papa vol.

'Maar... meneer Dogger heeft maar één broek! En één overhemd!'

'Pure gierigheid,' zei papa. 'Meneer Dogger is een verschrikkelijke vrek, een afschuwelijke schriep-schraperige schraalhans! Voor geld is hij tot alles in staat. Echt *alles*! De meest misselijkmakende dingen.'

'Wat dan?'

'Tja,' zei papa, 'wat dan? Zelf doet hij eigenlijk niets. Maar laat ik jullie vertellen over meneer Perskot.'

'Wie is dat nou weer?'

'Meneer Perskot is een boer. Een varkensboer. De grootste varkensfokker van Nederland. Hij heeft immense betonnen stallen, met soms wel duizend biggetjes erin.'

'Leuk,' zei ik. 'Vorig jaar ben ik met de klas naar een boerderij geweest. Daar hadden ze biggetjes. Zó schattig! Noer moest ze vies vinden, van haar geloof, maar ze waren heel roze, en heel

grappig met hun zwiebelige krulstaartjes en ze renden zo vrolijk heen en weer.'

'Dat was dan niet de boerderij van meneer Perskot,' zei mijn vader zuinigjes. 'De biggen van Perskot mogen niet rennen. Daar
worden ze mager van, en dan brengen ze minder geld op. Dus
Perskot doet zijn biggen in heel kleine hokjes, waar ze nauwelijks kunnen bewegen.'

'Ook niet leuk voor die biggen,' zei ik.

'Zeker niet. Die arme beesten worden er helemaal gek van. Ze
bijten elkaar tot bloedens toe, met hun scherpe hoektandjes.
Maar daar heeft meneer Perskot wel een oplossing voor.'

'Hij geeft ze een groter hok?'

'Nee, hij vijlt hun hoektandjes eruit. Zonder verdoving.'

'Wat?' riep ik. 'Wat gemeen! Wat afschuwelijk!'

'Het is wél lekker goedkoop,' legde mijn vader uit. 'En het werkt
goed! Ze kunnen alleen nog een beetje op elkaars staartjes kauwen. Dat levert nare, zwerende wonden op, maar ook daar heeft
meneer Perskot iets op gevonden.'

'Hij geeft ze een groter hok?' probeerde ik dapper.

'Nee, hij knipt hun staartjes eraf. Ook weer zonder verdoving.'

'Ik word een beetje misselijk,' zei ik. 'Ik moet misschien wel
overgeven.'

'Pfff,' deed Michael. 'Echt iets voor een meisje.'

'Inderdaad,' zei mijn vader. 'Weet je trouwens wat meneer Perskot met de jongensbiggen doet?'

'Daar zorgt hij vast beter voor dan voor de meisjes,' grinnikte
Michael.

'Integendeel,' zei papa. 'Hij snijdt hun balletjes eraf.'

Michael verbleekte. 'Toch niet zonder verdoving?' piepte hij.

'Nee hoor,' zei papa geruststellend, 'dat snijden gaat met verdoving.'

Wij zuchtten van opluchting.

'Natuurlijk doet het *na* het snijden nog wel een paar weekjes
pijn,' zei papa.

Toen was het toch Michael, die moest overgeven.

Papa keek even peinzend naar de grauwgroene kledder op tafel en zei: 'Op het gebied van tafelmanieren ben ik niet zo streng als jullie moeder, maar dit gaat mij toch ook een beetje te ver. Haal maar even een doekje, Michael.'

Met een vies gezicht begon Michael zijn rommel op te ruimen. Intussen zei ik tegen papa: 'Waarom geeft niemand die schurk van een Perskot aan bij de politie?'

'Omdat het niet verboden is, wat hij doet. Meneer Perskot levert het allergoedkoopste vlees van het hele land, en de mensen zijn dol op goedkoop vlees. Verbieden? Ze kijken wel uit!'

'Nou, *ik* hoef dat vlees niet meer,' zei ik ferm.

'Ik ook niet,' mompelde Michael, die nog steeds een beetje groen zag rond de neus. 'Ik heb sowieso geen honger trouwens.'

'Wees maar niet bang,' zei papa. 'Je weet hoe jullie moeder denkt over goedkoop eten.'

Oh ja. Dat was ook zo.

'En weet je wat nou zo gek is?' ging papa verder. 'Hoewel meneer Perskot de meest verschrikkelijke dingen doet om geld te besparen, wordt hij nog geen dubbeltje rijker. Want hij verkoopt zijn biggen zo goedkoop, dat hij er bijna niks aan verdient. Dus als hij een keer een nieuwe stal wil bouwen, of nieuw voer moet kopen, dan moet hij geld lenen. En dat doet hij. Bij meneer Dogger. En die wordt er wel rijk van. Maar nog rijker wordt hij van meneer Patrao.'

'Is dat net zo'n schurk als die Perskot?' vroeg ik. Ik had geen zin in nog zo'n akelig verhaal.

'Meneer Patrao is nog veel erger,' vertelde mijn vader. 'Meneer Patrao woont in Brazilië. Daar heeft hij honderden houthakkers in dienst. Die doen de hele dag niks anders dan oerwoud omhakken. De omgevallen bomen steken ze in de fik. En de dieren – de apen, de panters, de papegaaien, de vlinders, de kameleons en de gordeldieren en ga zo maar door, die verbranden mee. Levend.'

'Zonder verdoving?' piepte Michael.

'Ja, wat dacht je! Bovendien worden de indianen, die in het oerwoud wonen, door de houthakkers neergeknald met geweren en voor het geval je van plan was om het te vragen: ja, dat gaat zonder verdoving.'

'Dat mag niet,' zei ik vastbesloten. 'Ik kan niet geloven dat dat zomaar mag.'

'Het *mag* ook niet,' gaf papa toe, 'maar het Braziliaanse oerwoud is ontzettend groot en de politie kan niet overal tegelijk zijn. Zo trekken de houthakkers van meneer Patrao ongehinderd rond, moordend en brandstichtend. Op de kale grond die ze achterlaten kun je, bijvoorbeeld, sojabonen laten groeien. En dat doet meneer Patrao. De bonen worden naar Nederland verstuurd en aan meneer Perskot verkocht. Die geeft ze als voer aan zijn varkens. De bonen van meneer Patrao zijn het goedkoopste varkensvoer ter wereld namelijk.

Helaas is de oerwoudgrond niet zo heel geschikt voor sojabonen. Na een paar jaar is het op. Dan groeit er niks meer. Geeft niks, zegt meneer Patrao, het oerwoud is groot zat. En daar gaan zijn houthakkers weer, met hun kettingzagen en hun geweren. En nou mogen jullie raden van wie meneer Patrao het geld leent om die kettingzagen en geweren te kopen.'

'Toch niet van onze achterbuurman?' zei Michael.

'Van niemand anders. En als ik je nou eens vertel over meneer Pu Pi uit China? Die heeft een grote fabriek, waar T-shirts worden gemaakt. In die fabriek werken kinderen van tien jaar oud. Ongeveer jullie leeftijd, dus. Kinderen van jullie leeftijd horen op school te zitten, waar of niet?'

'Zeker niet!' riepen Michael en ik in koor, 'ze horen thuis voor de tv te zitten en tekenfilms te kijken!'

'Ik zie dat anders,' zei mijn vader zuinigjes, 'maar daar gaat het nu niet om. Kinderen van tien horen *niet* in een snikhete, benauwde, lawaaiige fabriek vol gevaarlijke machines, waarin vlijmscherpe messen heen en weer flitsen zodat je voortdurend moet opletten dat je hand er niet af wordt gehakt. En wat *zeker* niet hoort is dat ze daar veertien uur moeten werken met maar één kwartiertje pauze. Zijn we dat met elkaar eens?'

'Tuurlijk,' zei ik.

'Maar die tekenfilms, daar komen we nog op terug,' zei Michael.

'We zien wel. Eerst ga ik jullie vertellen van wie meneer Pu Pi het geld heeft geleend om zijn fabriek te kunnen bouwen en zijn gevaarlijke rotmachines te kopen.'

'Je wil toch niet zeggen, dat dat óók onze achterbuurman is?' vroeg ik ongelovig.

'Wis en waarachtig wil ik dat wel. Jullie mogen onderhand wel eens weten, wie er precies achter onze schutting woont. Er is niets, werkelijk niets, waar die schurk voor terugdeinst. Ik zou jullie nog kunnen vertellen over zijn vrienden Bengbuk, de landmijnenfabrikant, en meneer Cockel, de oliebaas, en meneer Hakmaranman de houthandelaar. Stuk voor stuk ellendelingen, die de meest verschrikkelijke misdaden op hun geweten hebben. Niet dat ze zelf ooit misdaden plegen, oh nee. Het zijn heel nette mensen, allemaal. Ze doen *nooit* iets wat verboden is. Nee, de schurkenstreken laten ze door anderen uitvoeren. Maar het geld, dat ermee verdiend wordt, gaat naar Cockel en Bengbuk en al die anderen. Om precies te zijn: een groot deel van dat geld gaat naar meneer Dogger, want hij heeft iedereen het geld geleend om hun machines te kopen en mensen in dienst te nemen. Zonder hem kon Bengbuk geen landmijnen maken en Pu Pi geen T-shirts. Meneer Patrao zou geen sojabonen kweken en meneer Perskot geen biggen. Geen van de afschuwelijke dingen die ik jullie verteld heb, zou kunnen gebeuren zonder meneer Dogger.'

'Maar papa,' fronste Michael. 'Jij hebt toch jarenlang bij de Doggersbank gewerkt? Dan heb jij er toch ook aan meegedaan?'

Papa bloosde een beetje en stotterde: 'Ja, nou, dat zit zo eigenlijk, eh... ik, eh... Ik werkte op een andere afdeling, snap je wel?'

'Hmmm,' deed Michael.

'Ik mocht geld uitlenen aan mensen die een huis wilden kopen. Pasgetrouwde stelletjes en zo. Ach, die mensen waren altijd zo gelukkig. Elke dag zag ik blije gezichten. Heel tevreden werd ik daarvan. Wat er verder in de bank gebeurde, daar dacht ik niet over na. Wat had ik daarmee te maken?

Maar er kwam een dag dat het uit was met de blije gezichten. En dat was mijn eigen schuld.

Ik had de mensen veel te veel geld geleend, meer dan ze konden terugbetalen. Dat was een idee van meneer Dogger. "Leen ze maar lekker veel," gniffelde die walgelijke man, "dan moeten ze lekker veel rente betalen. En als het hen na een paar jaar teveel wordt, en ze de rente niet meer betalen kunnen, dan krijgen wij hun huis!" Dat was zo, de mensen hadden een papier ondertekend waar het op stond.

"Is het niet briljant?" gnuifde meneer Dogger, "is het niet heerlijk? Die sukkels betalen zich een kriek, en als ze niks meer hebben, pakken we hun huis af en dat verkopen we! Twee keer geld! Hahahahaa!"

Het werd mijn werk om de mensen hun huis uit te zetten. Nou, daar word je niet vrolijk van hoor. Ik vroeg dus aan meneer Dogger of ik niet naar een andere afdeling mocht.

Hij zei meteen dat het goed was. Ik mocht naar de afdeling Varkensboeren. Toen ik ontdekte hoe het er dáár aan toeging, wilde ik meteen weer weg. Ik ging naar de afdeling Brazilië. En vandaaruit naar de afdeling China, de afdeling Wereldwijde Wapenhandel enzovoort. Het was overal even akelig en gemeen. Op alle afdelingen van de bank heb ik wel een keer gewerkt. Er is niemand, afgezien van meneer Dogger zelf, die de bank zo door en door kent als ik. Zo kwam ik ten slotte achter een groot geheim. De meest gruwelijke misdaad van allemaal...'

28

# 4

# DIT IS EEN SERIEUS POLITIEBUREAU

'Wat ik jullie tot nu toe heb verteld,' zei mijn vader zachtjes, 'is erg - meer dan erg! Afschuwelijk! - maar meneer Dogger maakt er geen geheim van. Hij is er trots op, dat hij samenwerkt met Perskot en Patrao en Pu Pi en al die anderen. "Slim zakendoen," noemt hij dat. Maar er zijn ook dingen, waarover zelfs meneer Dogger niet hardop spreekt. Het zijn zaakjes waar hij heel veel aan verdient. Zelf vindt hij dat geld verdienen nooit slecht kan zijn, maar hij is slim genoeg om te weten dat veel mensen er anders over denken. Dus hij zwijgt als het graf over zijn handel met bankrovers, afpersers en drugshandelaars.'

We schrokken. 'Dat zijn misdadigers!' riep ik.

'Criminelen!' riep Michael.

'Ze zijn niet veel erger dan de andere vrienden van meneer Dogger,' zei mijn vader onverstoorbaar. 'Het enige verschil is dat die

anderen - zoals Perskot - dingen doen die weliswaar afschuwelijk zijn, maar niet verboden. Of ze doen dingen die weliswaar én afschuwelijk én verboden zijn, maar ze doen het in een ver land en dan vinden de mensen van hier het niet zo erg.'

'Dat snap ik niet,' zei ik.

'Ik snap het ook niet precies,' gaf papa toe. 'Maar meneer Dogger snapt het verduiveld goed. Hij weet precies welke schurkenstreken hem een grote bak met duiten opleveren, en welke een enkele reis naar de bajes. Die laatste doet hij in het geniep, heel sluw zodat niemand iets kan bewijzen. En dat geldt ook voor zijn allerergste misdaad. Dat is werkelijk de schurkachtigste schurkenstreek aller tijden. Jullie zullen me niet geloven, als ik het jullie vertel.'

'Na de verschrikkelijke dingen die je ons al verteld hebt, geloof ik alles,' zei Michael somber.

'We zullen zien,' zei mijn vader. 'We zullen zien of je me durft te geloven, als ik je vertel over meneer Snoet en meneer Smek.'

Hij stond op van tafel en sloot de gordijnen. Daarna kwam hij weer bij ons zitten, boog zich naar ons voorover. Hij wenkte ons dat we onze hoofden vlak bij het zijne moesten buigen. We leken wel spionnen, of samenzweerders. Mijn maag kromp samen van spanning. Wat voor afschuwelijke onthulling zou hij nu weer voor ons hebben?

'Meneer Snoet,' fluisterde mijn vader, 'is een vriendelijke man met een aardig, open, gezellig gezicht. Echt het gezicht van een betrouwbare, goedbedoelende man. Hij vindt niets zo heerlijk als het uitdelen van snoepjes aan lieve, domme kinderen.'

'Domme kinderen?' vroeg ik verbaasd. 'Wat is er nou leuk aan domme kinderen?'

'Nou, meneer Snoet wil natuurlijk het liefst dat de kinderen, aan wie hij snoepjes geeft, die snoepjes ook aannemen. En alleen heel domme kinderen nemen snoepjes aan van vreemden. Slimme kinderen doen dat niet. En terecht, want in de snoepjes

30

van Snoet zit een slaapmiddel. Een kind, dat ook maar één van die snoepjes eet, is binnen een minuut volledig onder zeil. En dat is Snoets bedoeling. Want kinderen die in slaap zijn, kun je makkelijker ontvoeren.'

'Ontvoeren!' schrokken wij.

'Ontvoeren,' knikte papa. 'Meneer Snoet is een kinderdief. Hij steelt en verkoopt kinderen.'

'Verkoopt kinderen?' riepen wij ontzet. 'Aan wie dan? Wie koopt er nou een kind?'

'Meneer Pu Pi,' zei mijn vader alsof dat het meest vanzelfsprekende was, wat hij ooit had gezegd. 'Die laat ze werken in zijn fabriek. En meneer M'Koko, voor op zijn cacaoplantage. Dat soort lui. Maar ook, bijvoorbeeld, mensen die geen zin hebben om zelf het huishouden te doen. Die kopen gewoon een kindje dat zich elke dag te pletter werkt met plees poetsen, afwassen, de was doen enzovoort. Een kindje van Snoet kost weinig meer dan een afwasmachine.'

'Bedoel je, dat die kinderen als slaaf worden verkocht?' vroeg ik. Ik kon mijn oren niet geloven.

'Dat bedoel ik precies,' zei mijn vader. 'Vergeet niet dat slavernij lange tijd erg populair is geweest – behalve bij de slaven zelf, natuurlijk. Het is niet leuk om een slaaf te *zijn*. Maar een slaaf *hebben*, dat is alleraardigst. Het is handig. Het is luxe! Het is trouwens ook door en door slecht, maar ja, niet iedereen vindt het erg om door en door slecht te zijn. Blijkbaar.'

'Papa,' zei Michael bezorgd, 'weet jij wel dat wij tere kinderzieltjes hebben? Wij mogen dit soort dingen helemaal niet horen, daar krijgen we nachtmerries van. Het is slecht voor ons eh... ons... hoe heet het ook alweer...'

'Jullie welzijn?' vroeg papa.

'Ons welzijn...' Michael proefde het woord op zijn tong. 'Ja, ons welzijn, daar kon het wel eens slecht voor wezen.'

'Of jullie welbevinden?'

'Wat is dat?'

'Hetzelfde, maar dan met een mooier woord.'

'Oh, nou, doe dat dan maar.'

'Juist,' zei papa. 'Slecht voor jullie welbevinden. Nou, in de tekenfilms waar jullie zo dol op zijn, gebeuren nog wel ergere dingen. En bovendien: jullie weten al heel lang dat je geen snoepjes mag aannemen van vreemden. Nu weten jullie dan eindelijk waarom.

En ten derde: dit was nog maar het begin. Het ergste komt nog.'

'Erger kan niet,' zei ik.

'Oh, jawel hoor! Want soms ontvoert Snoet meer kinderen dan hij verkopen kan. De kinderen, die overblijven, gaan naar meneer Smek.' Hij keek ons veelbetekenend aan.

Wij keken nietsbetekenend terug. Wie was die Smek?

'Van de SmikSmek Mjamburgers,' verduidelijkte mijn vader. Weer keek hij ons veelbetekenend aan.

Langzaam begon een vreselijk vermoeden bij mij op te komen. Ik had het gevoel dat mijn haren recht overeind gingen staan.

'Je wil toch niet zeggen...' zei ik.

'Jawel,' zei mijn vader.

'... dat die kinderen...'

'Jawel!'

'... *door de Mjamburgers worden gedaan?*'

Mijn vader knikte. Michael moest weer overgeven, maar dat had hij al gedaan dus er kwam niks meer.

Ik sprong op van mijn stoel en stampte door de kamer. 'We moeten iets doen!' riep ik. Mijn armen zwaaiden woest door de lucht. 'We *gaan* er iets aan doen! Nu! Nu meteen!'

'Wat dan?' vroeg mijn vader kalm.

'Naar de politie!'

'Mij best,' zei mijn vader. 'Voor het museum is het nou toch al te laat. Laten we maar naar de politie gaan. Ook leerzaam.'

Een kwartier later stonden we in het politiebureau.

Daar was een balie met een bordje erop: Hier Melden. Erachter zaten twee agenten. Een frisse blonde mevrouw en een dikke meneer met grijs haar.

In het marmer van de balie was een spreuk gebeiteld: Immer Waakzaam.

De frisse blonde mevrouw deed een dutje. De dikke man deed een computerspelletje en at snoepjes uit ritselpapiertjes.

'Wij komen iets melden,' riepen Michael en ik.

Zonder op te kijken van zijn spelletje zei de dikke agent: 'Wat staat er op het bordje?'

'Hier Melden,' zeiden wij.

De dikke agent legde geschrokken zijn spelletje weg en keek op het bordje.

'Verrek!' mompelde hij. 'Het staat er écht.' Hij porde de blonde agente wakker. 'Trees,' siste hij. 'Tree-hees! Je bent vergeten het bordje om te draaien.' Hij liet ons de achterkant van het bordje zien. Daar stond: Wij Hebben Even Pauze.

'Sorry hoor,' zei de dikke agent. 'Maar we hebben dus eigenlijk pauze.'

'Dat telt niet,' zei ik streng. 'Hoe het bordje staat, dát telt. Eerlijk is eerlijk.'

'Ja, Kees,' zei de agente. 'Daar heeft dat meisje gelijk in. Eerlijk is eerlijk.'

'Ja maar...' begon Kees. Plotseling werden zijn ogen groot, als door een wilde schrik. 'Pas op!' gilde hij. 'Achter jullie!'

We keken achter ons.

Daar was niets te zien.

Toen we weer naar de balie keken, had Kees het bordje omgedraaid, zodat er stond: Wij Hebben Even Pauze. Kees keek fluitend naar het plafond.

'Doe even normaal, Kees,' zei de blonde geërgerd. 'Dit is een serieus politiebureau en geen ballentent op de kermis.'

'Nou,' zei Kees, 'praat jij dan maar met ze. *Jij* bent vergeten het bordje om te draaien.'

'Mij best,' zei Trees en ze pakte een groen formulier. Ze vroeg mijn vader om zijn naam, zijn adres, zijn telefoonnummer, zijn geboortedatum, de code in zijn paspoort en nog veel meer. Dat vulde ze allemaal in op het groene formulier.

'Goed,' zei ze ten slotte. 'Wat komt u melden?'

'Een misdaad,' zei mijn vader. 'Een verschrikkelijke misdaad.' Hij vertelde van meneer Snoet, de kinderdief, en meneer Smek, die kinderen in zijn Mjamburgers deed.

'En onze achterbuurman weet er meer van,' zei mijn vader. 'Dat is meneer Dogger, u weet wel, van de Doggersbank. Hij doet alle bankzaken van Snoet en Smek en hij krijgt de helft van de winst.'

De blonde agente sloot haar ogen en zuchtte diep.

'Mjamburgers,' zei ze ten slotte. 'Uw achterbuurman doet ontvoerde kinderen door de Mjamburgers. En u wilt dat ik dat geloof.'

'Eh... ja, eigenlijk wel.'

Michael en ik keken elkaar aan. Nu de agente het zei, klonk het opeens veel minder geloofwaardig.

'En u heeft niet toevallig bewijzen? Foto's, filmpjes? Van kinderen die door de Mjamburgers worden gedaan?'

'Nee, dat niet, ben ik bang.'

Trees keek mijn vader streng aan. 'Meneer,' zei ze, 'dit is een serieus politiebureau en geen ballentent op de kermis. Uit mijn ogen met die flauwekul.'

'Ik begrijp het wel, hoor,' zei de dikke agent. 'Ik heb ook kinderen. Ik weet precies hoe dat gaat in de vakantie: het is rotweer, ze vervelen zich... dan wil je iets doen om ze bezig te houden. Kom, denk je dan, laat ik eens een paar agenten gaan lastigvallen met een onzinverhaal.

Maar daar is de politie niet voor, meneer. Wij zijn er voor seri-

euze zaken. Echte boeven. Boeven die echt bestaan dus. Die niet verzonnen zijn dus - voelt u het verschil? Als uw kinderen zich vervelen, neem ze dan mee naar een museum of zo! Er is op dit moment een tentoonstelling over lampenkappen in de jaren tachtig... je lacht je gék, echt waar.'

'Ja,' zei Trees, 'neem ze daar maar mee naartoe. Dan zullen ze zich voortaan wel twee keer bedenken, voor ze zich durven te vervelen. Nou, fijne dag verder.'

'Dat,' zei papa toen we het bureau uitliepen, 'was nou eens een leerzaam kwartiertje.'

'Wat hebben we dan geleerd?' vroeg ik.

'Dat sommige dingen zo erg zijn, dat niemand ze wil weten. Zelfs de politie niet.'

Op weg naar huis kwamen we langs het grote kruispunt. Daar stond het hoge bankgebouw met de glimramen, dreigend tegen de duistere wolkenlucht.

'Niet te geloven,' zei ik tegen Michael, 'dat er achter die ramen zoveel gemeenheid verborgen gaat...'

Op dat moment klonk er in het bankgebouw een oorverdovende sirene. Nog geen tien seconden later kwamen er tientallen, nee, honderden mensen in blinde paniek het gebouw uitgerend.

## 5

# ER LIGT EEN HALF MILJOEN OP ONS TE WACHTEN

'Help!' riepen de vluchtende bankiers. 'Brand! Brand!!'
Ze renden als blinde kippen in 't rond, botsten tegen elkaar op, klampten zich aan elkaar vast en gooiden elkaar om; een wild geraas van angst en verwarring. Na een paar minuten begonnen

her en der mensen naar beneden te kijken, naar hun kleren, en ze voelden aan hun haren. Zodoende ontdekten ze, tot hun opluchting, dat ze niet in brand stonden. In ieder geval niet hun haren of kleren.

Van deze ontdekking werden ze meteen een stuk rustiger. Ze keken om zich heen of het misschien hun omgeving was, die in lichterlaaie stond. Toen pas merkten ze dat ze het gebouw al uit waren.

Langzaam kwam de meute tot bedaren.

Ze gingen op een afstand naar het bankgebouw staan staren. Aan de buitenkant was er nog niks van brand te zien. Vol verwachting bleven de bankmensen staan kijken.

Mijn vader deed het autoraampje omlaag en riep naar een bankman, die achteraan in de menigte stond: 'Hee, Frank! Wat is er aan de hand?'

'Geen idee,' zei de bankman. 'Het brandalarm ging. Er zal wel brand zijn.'

Mijn vader stelde hem aan ons voor: 'Frank en ik kennen elkaar nog van de afdeling Wereldwijde Wapenhandel.'

Wij keken nieuwsgierig naar de bankman. Hij was heel dik en hij had bijna geen haar. Wel had hij een klein oorbelletje. Met een zorgelijk gezicht staarde hij naar het hoge glimgebouw.

'U ziet er helemaal niet uit als een wapenhandelaar,' zei ik.

'Haha, dat ben ik ook niet hoor,' glimlachte hij verstrooid. 'Alsjeblieft zeg. Nee, ik zorg alleen maar dat het geld van de klant bij de verkoper komt. Kijk, er is een lijst van mensen aan wie je geen wapens mag verkopen. Regeringen van schurkenlanden, misdadigers, terroristen en zo. En juist *die* mensen willen graag veel betalen voor wapens. Nou moet ik er dus voor zorgen dat ze stiekem...' Plotseling sloeg hij een hand voor zijn mond. 'Wat doe ik nou weer?' riep hij geschrokken. 'Sta ik zomaar te praten met Eduard Laarmans en zijn kinderen! Stom, stom, stommeling die ik ben!'

'Nou ja zeg,' deed mijn vader. 'Wat is daar stom aan? We hebben toch al zo vaak gepraat?'

'Ja, maar toen had je nog niet je ontslag! Nu wel... en ontslag is *besmettelijk*! Als de baas denkt dat ik bevriend ben met een ontslagen kerel, dan ontslaat hij mij ook. Ga weg, engerd! Ik ken je niet!'

'Geen paniek, joh. Ik ben al weg. En de baas heeft echt niks gezien hoor, kijk maar.'

Mijn vader wees op de vadsige gestalte van meneer Dogger, die in driftige rondjes tussen het gebouw en de menigte heen en weer ijsbeerde.

'Wie?' bulderde hij tegen zijn personeel. 'Wie van jullie heeft er brand gesticht in mijn mooie bank? Nonde-nonde-nonde-hier-en-gunter! Hé! Jij, Klepstra! Heb je weer stiekem zitten roken op de plee?'

'Nee meneer Dogger,' bibberde een lange magere man in een donker pak.

'En jij, Van Den Oudenbok! Hoe vaak moet ik het nog zeggen? Geen brandende papieren in je prullenmand gooien! Als een brief geheim moet blijven, dan doe je hem in de pa-pier-ver-nie-ti-ger! Daar heb ik dat apparaat voor gekocht, ja? Geen fikkie stoken op je bureau!'

'Dat doe ik ook niet, meneer Dogger. Echt niet,' kermde een klein kaal kereltje.

'Wie dan?' brulde meneer Dogger. 'Wie heeft er dan mijn bank in de hens gestoken? Mijn mooie, dure bank,' jammerde hij, 'vol mooie, dure computers! En een gloednieuw koffieapparaat! Alles weg, alles in rook op...'

'Tot nu toe valt het wel mee, geloof ik,' zei een bankmevrouw. En inderdaad, hoe iedereen ook keek, niemand kon ook maar het kleinste vlammetje ontdekken. Nog niet het geringste kringeltje rook.

Wás er eigenlijk wel brand?

'Wie van jullie heeft er eigenlijk alarm geslagen?' snauwde meneer Dogger.

Geen van de banklui had alarm geslagen.

Er was ook niemand die vlammen of rook had gezien.

'Wat is dit voor een misselijke grap?' schreeuwde meneer Dogger. 'Er is helemaal niets aan de hand!'

Op dat moment ontplofte de bank.

Ze ontplofte heel keurig. Niks geen rondvliegend glas of metselwerk, geen grote oranje bal van vuur, geen oorverdovende klap. Onderaan waren er vier beschaafde knallen. Op elke hoek één, precies genoeg om de boel te laten instorten. De hele bank zakte langzaam en kaarsrecht naar beneden, krakend en splinterend.

Er kwam een flinke stofwolk vanaf, dat wel. Een grote werveling van gruis en stof, als een reusachtige ballon die in één seconde werd opgeblazen, en die in minder dan geen tijd alles en iedereen grijs kleurde. Mijn vader had zijn raampje nog open, dus zijn gezicht was zo grijs alsof hij een stenen standbeeld was. Maar dat was hij niet, want standbeelden hoesten en kuchen niet.

Het werd donker in de auto: alle ramen zaten onder het stof. We stapten uit, en de hele wereld was grijs. De bankmensen waren grijs van top tot teen, het asfalt en de stoplichten en de auto's op het grote kruispunt, het gras langs de stoep en de struiken bij de parkeerplaats - alles grijs.

Behalve...

'Michael!' schreeuwde ik. 'Kijk daar! In de struiken! De Donderkat!'

Nu zag Michael het ook. Een oranjerode gedaante schoot het struikgewas door, weg van de ingestorte bank. Michael en ik renden erachteraan, zo snel als we konden.

Dat was niet zo heel snel.

Al het stof, dat in de struiken was blijven hangen, wolkte op zodra we ook maar een takje aanraakten. Ook de Donderkat zelf deed heel wat stof opwaaien. Langzaam tastend zochten we

onze weg; toen we eindelijk door de struiken heen waren, was de Donderkat allang verdwenen. Het enige wat we nog zagen, waren stofgrijze voetstappen die allengs lichter werden en uiteindelijk niet meer te zien waren op de grijze stoeptegels.

Het beest was weer ontsnapt.

Toen we terugkwamen bij de ingestorte bank, had mijn vader de EHBO-trommel uit de auto gehaald en hij liep tussen de banklui door, op zoek naar iemand om te verbinden. Maar - het leek een wonder - er was niemand gewond geraakt.

'Ongelooflijk,' zei mijn vader. 'De hele bank is opgeblazen en niet één van de banklui heeft ook maar het kleinste schrammetje. Ze hebben wel geluk gehad, zeg! Als niet toevallig precies tien minuten eerder dat brandalarm was afgegaan...'

'Papa,' zei ik, 'doe niet zo ongelooflijk dom. Natúúrlijk was het geen toeval, van dat brandalarm. Dat is expres aangezet, om de mensen naar buiten te jagen. Door iemand die wist dat de boel ging ontploffen. Misschien wel door de Donderkat zelf.'

'Beginnen jullie daar nou weer over? Donderkatten bestaan niet, jongens, dus ze kunnen ook geen brandalarm slaan.'

'En dat berichtje dan?' riepen wij. 'Dat berichtje bij de bikiniwinkel, dat volgens de politie zo'n aanwijzing was? Dat ging toch van "Donderkat was hier"? Nou dan! Nou dan!'

'Ja,' glimlachte mijn vader, 'maar dat is gewoon opgeschreven door een mens, iemand die zich Donderkat noemt.'

'Maar papa,' protesteerden wij, 'we hebben hem gezien! Hij was hier, in de struiken, helemaal oranjerood, echt papa, het was de Donderkat!'

'Hoewel hij volgens mij,' zei Michael peinzend, 'op twee poten liep. En dat doen de meeste katten niet.'

'Dat is waar,' gaf ik toe. 'En ik heb ook geen staart gezien.'

'Dat zegt niks,' zei Michael. 'Sommige katten hebben geen staart. Manx, heten die.'

'Oh,' zei ik, 'weet jij het weer beter.'

'Toevallig wel,' zei hij. 'Laatst had eh, eh, iemand, eh, uit mijn klas, die had een spreekbeurt over katten.'

'Zeker Lenny met de rooie haren,' zei ik. Dat was een meisje uit zijn klas; ik had hem ooit naar haar zien staren in de pauze. Wel tien minuten achter elkaar.

'Nee, niet Lenny, of nou ja, misschien ook wel,' bloosde Michael, 'ik weet 't niet meer precies, het doet er ook niet toe, toch?'

'Hoeoeoe,' riep ik, want door zijn gebloos wist ik het nu zeker: 'Michael is verliefd! Michael is op Lenny!'

'Nietes!'

'Je mag wel nietes zeggen,' grijnsde ik, 'maar dan moet je er niet zo bij blozen, hoor. Nietes plus blozen telt als welles, namelijk.'

De hele verdere middag had ik het druk met Michael plagen.

We vergaten de Donderkat.

Maar 's avonds, op het nieuws, werd er verteld over de ontplofte bank.

Er was een filmpje te zien van de volledig bestofte meneer Dogger, die naast een grote puinhoop stond van brokken beton met scherven glimraam. Schuimbekkend stond hij te vloeken en te tieren, en te jammeren over zijn mooie dure bankgebouw, zijn dure computers en zijn gloednieuwe koffiezetapparaat.

'Net goed,' zei ik tegen het schreeuwende hoofd op de tv. 'Je bent een schurk en een griezel en het is je verdiende loon.'

'Hij verdient nog erger,' zei Michael. 'Dit was nog maar één gebouw. Ze zouden alle Doggers-banken op moeten blazen met Dogger en al zijn vriendjes erbij.'

'Hou jullie mond eens,' zei mama, 'ik wil het nieuws graag horen, ja?'

We hielden onze mond.

Precies op dat moment kwam er een nieuwslezer in beeld, die vertelde dat de politie weer dezelfde tekst had gevonden:

De politie was dringend op zoek naar de geheimzinnige Donderkat, zo vertelde de nieuwslezer. Er was zelfs een beloning uitgeloofd van een half miljoen.

Michael en ik keken elkaar aan.

Een half miljoen!

Dáár kon je nog eens van op vakantie! Naar een tropisch eiland als je wou, een eiland met palmen en sneeuwwitte stranden en luxe hotels met buigende obers en kamers zo groot als gymzalen en gigantische televisies en overal spelcomputers, en nergens op het hele eiland iets wat ook maar in de verste verte leek op een museum.

'Morgen gaan we naar de politie,' zei ik.

'En dan vertellen we álles wat we weten over de Donderkat,' vulde Michael aan.

'En dan worden we stinkend rijk!' juichten we samen.

'Geen sprake van,' zei mama.

'Komt niks van in,' zei papa.

'Goed mama,' zeiden wij. 'Goed papa.' We gingen zonder zeuren naar bed, want van onze moeder win je het toch niet. In ieder geval niet met zeuren.

Maar de volgende dag, toen zij naar haar werk was vertrokken, begonnen we.

We waren hard.

We waren kei- en keihard.

We zeiden zelfs met een stalen gezicht: 'Van mama mocht het! Dat heeft ze gezegd!'

'Dat is niet waar,' riep papa wanhopig. 'Ze zei het tegenovergestelde! Ik zat er zelf bij!'

'Dat heb je dan verkeerd verstaan,' logen wij koeltjes.

Het duurde vijf volle uren, voordat papa eindelijk zuchtte: 'Nou goed dan, dan gaan we naar de politie, wat kan het mij ook schelen allemaal.'

'Gefeliciteerd pap,' zei ik om hem op te vrolijken, 'vijf uur! Dat is je record, geloof ik.'

Mijn vader zei niets. Droevig staarde hij naar de grond.

'Niet gaan zitten sippen, pap,' zei ik. 'Daar hebben we geen tijd voor. Op het politiebureau ligt een half miljoen op ons te wachten, en als we niet voortmaken is iemand anders ons misschien voor.' Ik stelde me voor dat er een woeste massa mensen in het politiebureau zou staan, allemaal vertellend over de Donderkat en ruziënd om ons halve miljoen.

Maar dat viel mee.

Er was geen levende ziel te bekennen in het bureau, behalve natuurlijk de agenten. Het waren dezelfde agenten van gisteren. Ze knikten ons vriendelijk toe, vanachter hun bordje met Wij Hebben Even Pauze.

Michael, papa en ik gingen op een bankje zitten, waarop je mocht wachten.

De agenten knikten ons bemoedigend toe en keken ons verwachtingsvol aan.

Wij keken terug.

Niemand zei iets.

Na tien minuten kreunde de dikke agent: 'Trees, volgens mij staat het bordje weer verkeerd.'

'Verrek,' zei Trees, 'inderdaad.'

Ze draaide het om.

Hier Melden.

'En,' zei de dikke agent, 'wat kunnen wij voor jullie doen?'

# 6
# EINDELIJK: DE LAMPENKAPPEN

'Komen jullie sorry zeggen?' vroeg agent Kees.
Dat snapten we niet. Sorry? Waarvoor?
'Bijvoorbeeld: sorry omdat we gisteren twee heuse agenten...'
'... in een serieus politiebureau...' vulde Trees aan.
'... hebben lastiggevallen met een flauwekulverhaal?'
'Dat was helemaal geen flauwekulverhaal,' protesteerde ik.
'Maar daar gaat het nu niet om,' zei Michael snel. Hij had geen
zin in een gesprek over de flauwekulligheid van meneer Doggers

schurkenstreken. Hij had wel wat anders aan z'n hoofd. 'We komen ons miljoen ophalen.'

'*Half* miljoen,' verbeterde ik, want als je de dingen verkeerd zegt, nemen ze je niet meer serieus.

'Jahaaa, okee, miljoen, half miljoen, als het maar véél is. Dat halve miljoen dus, dat komen we even ophalen. Want wij weten van alles over de Donderkat.'

Trees keek met vermoeide ogen naar haar collega. 'Ik heb zo het idee,' sprak ze dof, 'dat dit verhaal niet op excuses gaat uitdraaien. Sterker nog, dit zou best wel eens een nieuw flauwekulverhaal kunnen worden.'

'Helemaal niet,' zei ik verontwaardigd. 'Wij hebben de Donderkat gezien! Drie keer! De eerste keer was toen meneer Dogger z'n schuurtje ontplofte. Toen zat-ie bij ons in de tuin.'

'De Donderkat dus hè, niet meneer Dogger,' maakte Michael duidelijk.

'Hè nee,' zei ik. 'Die engerd mag echt niet bij ons in de tuin hoor. Maar goed, ik ga verder. De tweede keer dat we de Donderkat zagen, of eigenlijk was ik de enige die 'm zag want Michael was er helemaal niet bij. Toen was ik namelijk naar de bikiniwinkel geweest. En zeg nou zelf: Michael zou er niet uitzien, in een bikini. Nou, toen ontplofte dus de bikiniwinkel.'

'En de Mjamburgerbar ontplofte mee,' ging Michael verder. 'En gisteren zagen we de Doggersbank ontploffen. En wie sprong daar uit de struiken? Jawel: de Donderkat! Een hele grote kat is dat, bijna net zo groot als mijn zus, maar hij is Manx en dan weet je het wel: geen staart natuurlijk hè.'

'Hij is oranjerood, zoals een vos,' vertelde ik. 'En hij heeft handjes, net zoals een aapje.'

'Nou,' zei Michael, 'daar kunnen jullie wel even mee vooruit, dachten wij zo. Ik kan me niet voorstellen dat er iemand is, die jullie méér over dat beest kan vertellen. Eh, wat dat halve miljoen betreft: krijgen we dat zo mee of sturen jullie het op?'

De dikke, grijze agent schudde traag met zijn hoofd. Hij zuchtte diep en keek mijn vader aan met droeve ogen.

'Ik dacht,' zuchtte hij, 'ik dacht: die komen sorry zeggen. Voor hun flauwekulverhaal van gisteren. En wat krijg ik? Krijg ik sorry? Nee, nee, nee. En gloednieuw flauwekulverhaal, dát krijg ik. Het is triest.'

De blonde agente zei: 'Ik haalde vroeger óók wel eens kattenkwaad uit, als ik me verveelde in de vakantie. Fikkie stoken. Emmer water over de kat van de buren plenzen. Poepen in de tuin van de dominee. Maar eerlijke politiemensen lastigvallen met gezever over een gigantische, oranjerode, Manxe kat-met-handjes die gebouwen opblaast - nee, zo bont heb ik het nooit gemaakt.'

'Triest is het,' herhaalde de dikke agent. 'En er kan geen sorry meer vanaf.'

'Tja Kees, zo zijn de kinderen tegenwoordig.'

'Zo zijn ze zeker. En ze kunnen er niks aan doen. Het komt allemaal door hun vaders; die zijn niet streng genoeg.'

'Nou ja, zeg!' protesteerde mijn vader. 'En als alle vaders hun kinderen goed zouden opvoeden, wat dan? Dan zijn er straks geen boeven meer! Dan zou de politie geen werk meer hebben. Ja Kees, ja Trees, jullie zouden je baan verliezen! Dat wil ik natuurlijk niet op mijn geweten hebben. Dag en nacht doe ik mijn best, mijn uiterste best, om mijn kinderen verkeerd op te voeden. Ik laat ze opgroeien voor galg en rad, speciaal om de agenten een plezier te doen, en er kan geeneens een bedankje af! Triest is het. Maar ja, zo zijn de volwassenen tegenwoordig. Kom kinderen, we gaan.'

En we gingen.

We gingen naar het Lampenkappenmuseum. Wat moesten we anders?

De politie geloofde ons toch niet.

Papa moest heel hard lachen om de lampenkappen uit de jaren

tachtig. Wij niet. Er was er één met een plaatje van een blote mevrouw erop; daar gingen we dan maar om giechelen, bij gebrek aan beter.

'Oh oh oh,' zei papa op de terugweg, 'die jaren tachtig! Wát een rare tijd! Ik weet het allemaal nog goed...' Hoofdschuddend en grinnikend reed hij ons naar huis.

Daar zou het lachen hem snel vergaan.

Want op de stoep, toen we thuiskwamen, stonden twee agenten.

Trees en Kees.

Ze zwaaiden beleefd naar ons, toen we uit de auto stapten.

'Die komen ons halve miljoen brengen,' zei Michael.

'Dat denk ik niet,' zei mijn vader grimmig.

En mijn vader had gelijk.

'Dag meneer,' zei Trees, 'we komen u arresteren.'

'Mooi is dat,' zei mijn vader.

'Voor u is het misschien vervelend,' gaf Kees toe, 'maar voor ons is het allemachtig mooi natuurlijk.'

'Ieder zijn smaak,' zei mijn vader. 'Arresteren jullie me met een bepaalde reden, of is het zomaar in het wilde weg?'

Trees keek hem streng aan. 'Kom kom, meneer, u weet best waarvoor we u arresteren. Of dacht u soms dat wij dom zijn?'

'Ik heb daar wel mijn gedachten over,' zei mijn vader, 'maar die doen er nu niet toe. Waarom arresteert u mij?'

'Kijk,' zei Kees. 'Er komt een meneer met twee kinderen op ons bureau. Die kinderen vertellen dat hun achterbuurman een schurk is. Vergezochte, krankzinnige beschuldigingen. We sturen ze weg. Die middag ontploft er een bank. De volgende dag is de meneer er weer, en nu vertellen zijn kinderen dat de bank is opgeblazen door een niet-bestaande kat met handjes. Ik vind dat raar. Ik ga eens een beetje zitten nadenken. Ik kijk eens in de computer, ik zoek eens wat uit, en wat blijkt? De achterbuurman is de eigenaar van de ontplofte bank! Dat kan toch haast geen toeval zijn.'

'Het *is* ook geen toeval,' ging Trees verder. 'Volgens mij is er dit aan de hand: het begint met een burenruzie. Een ordinaire burenruzie, Joost mag weten waarover. Kinderen die te veel herrie maken, een stinkende barbecue, iemand die zijn heg niet goed bijhoudt – weet ik veel. Een doodgewone burenruzie. Komt vaker voor. Maar deze keer is er iets bijzonders. Eén van de buren is een naar, wraaklustig kereltje. Dat bent *u* dus,' zei ze met een hoofdknik naar papa. 'En dat nare kereltje gaat naar de politie en vertelt verschrikkelijke leugens over zijn achterbuurman. In de hoop dat wij die achterbuurman gaan arresteren. Maar dat doen we niet want wij zijn niet gek. Daarna blaast het nare kereltje, dat nu nog kwader is omdat zijn akelige plannetje niet doorging, het bankgebouw van de achterbuurman op. Het is werkelijk een buitengewoon naar kereltje.

De volgende dag gaat het nare kereltje weer naar het politiebureau en vertelt een raar verhaal over een kat met handjes die ontploffingen maakt. Om de politie op een dwaalspoor te brengen. Laat ze maar zoeken naar die kat, haha, dan ben ik veilig - dat denkt hij. Maar op het bureau zijn ze niet gek. Het is namelijk een serieus bureau en geen ballentent op de kermis.'

'Precies,' zegt agent Kees. 'Dus ik zou zeggen: steek de handjes maar naar voren,' en hij zwaait nadrukkelijk met een paar handboeien.

'Mag ik eerst even de voordeur opendoen?' vraagt mijn vader. 'Anders moeten de kinderen hier de hele tijd op de stoep blijven staan.'

'Ach,' zegt agent Kees, 'dat zal ze geen kwaad doen. Wie weet leren ze er goeie manieren van.' Maar Trees zegt: 'Het zijn kinderen Kees, kinderen met lieve snoetjes, die mag je niet op de stoep laten staan. Kinderen moet je altijd fatsoenlijk behandelen, vooral als ze lieve snoetjes hebben. Want als je ze slecht behandelt, en het komt toevallig op de tv, dan denkt iedereen: ach, wat zijn die agenten gemeen! Kijk toch eens naar die zielige kinderen, wat

48

een lieve snoetjes! En dan vinden ze *ons* de slechteriken. Terwijl wij serieuze agenten zijn, van een serieus bureau.'

'Ja,' zuchtte Kees, 'waren we maar van de ballentent op de kermis. Dan konden we tenminste doen waar we zin in hadden.'

Papa mocht de deur openmaken.

Daarna deed Kees hem de handboeien om en Trees hielp hem de politiewagen in.

'Tot morgen,' zei papa tegen ons.

Wij durfden niet te hopen dat hij morgen alweer thuis zou zijn. Maar hij zei: 'Ach jongens, maak je maar geen zorgen. Zelfs deze twee idi... agenten zullen wel snel snappen dat ik onschuldig ben.'

'Dat zullen we nog wel eens zien,' zeiden de agenten grimmig.

En tatuu tatuu, daar gingen ze.

Oh, wat voelden we ons ellendig, Michael en ik! Het was onze schuld, dat papa de gevangenis in ging. We zagen hem al zitten: helemaal alleen in een akelige cel met vieze woorden op de muur en een stinkend wc-tje in de hoek.

Wat een geluksvogel.

Hij zat daar lekker veilig.

*Wij* hadden een groter probleem.

Over een uurtje zou mama thuiskomen, en wat zou zij zeggen? Wat zou ze doen? Wat voor straf zouden we krijgen?

Volkomen verdwaasd hingen we op de bank. We hadden niet eens zin in de tv, hoewel er niemand was om ons op onze kop te geven als we te lang bleven kijken.

'We moeten iets doen,' zei Michael. 'Om te laten zien dat het ons spijt. Het hele huis schoonmaken, of zoiets.'

'Goed idee!' riep ik. 'Pak jij de stofzuiger, dan zal ik... oh nee! Kijk eens op de tafel? Wat staat daar?'

'Eh... de stoelen. Wat raar. Stoelen horen *aan* de tafel, niet *op* de tafel. Wie zou ze daar hebben neergezet?'

'Hulya de poetshulp,' zei ik moedeloos. 'Dat doet ze altijd. Geen

idee waarom, het zal wel met het poetsen te maken hebben. In ieder geval: de stoelen staan op tafel, dus Hulya heeft vandaag gepoetst. Het hele huis is al schoon.'

'Oh nee,' kreunde Michael. 'Wat moeten we nou? Wacht eens... als we nou het hele huis heel vies maken, en het daarna weer keurig netjes opruimen?'

'Doe niet zo belachelijk,' zei ik. 'Als we alles keurig netjes opruimen, kun je niet meer zien dat we het eerst goor hadden gemaakt. Dan kan mama niet eens zien dat we zo hard gewerkt hebben.'

'Wacht eens even,' zei Michael. 'We kunnen natuurlijk ook *zeggen* dat we het hele huis vies hebben gemaakt en daarna weer schoon. We hoeven het niet echt te *doen*. Mama kan het toch niet controleren. Probleem opgelost. Zet jij de tv aan? Dan pak ik de chips.'

'Bravo, bravo!' riep ik en ik klapte in mijn handen. 'Je hebt je record verbeterd, Michael! Dit is verreweg het stomste idee dat je ooit hebt gehad!'

'Beter een stom idee dan helemaal geen idee,' snauwde Michael.

We bleven er wel een half uur over katten en kibbelen.

Toen mama thuiskwam, waren we kwaad en moe en huilerig. Bibberend en snikkend vertelden we haar het hele verhaal.

En hoe denk je dat mijn moeder reageerde? Werd ze kwaad, verdrietig, bang?

Niks van dat alles.

Ze begon te grinniken.

Daarna vertelde ze ons het meest ongelooflijke wat ik ooit van mijn leven heb gehoord.

# 7

# KRANKZINNIG DURE PIZZA'S

'Nou lieverds,' zei mama, 'ik kan wel horen dat jullie een drukke, goed bestede dag hebben gehad.'

'Goed?' riep ik verontwaardigd. 'Goed? Heb je niet naar ons geluisterd of zo? Papa is in het gevang gesmeten!'

'Ja,' antwoordde mijn moeder, 'en dat terwijl het zijn beurt was om te koken. Dat wordt dus weer pizza vanavond.'

'Lekkerrrr,' zei Michael.

'Michael! Mama!' riep ik boos. 'Hoe kunnen jullie aan pizza denken, terwijl papa gevangen zit?'

'We denken juist aan pizza *omdat* hij gevangen zit,' zei mama met een heel geduldig gezicht. 'Als hij gewoon was gaan koken, in plaats van zich te laten arresteren, hadden we nu al achter de gebakken aardappelen gezeten.'

Ze liep naar de telefoon en draaide het nummer van restaurant Exquizza Pizza. Dat was een heel bijzondere pizzadienst. Een pizzadienst voor mensen die niet van goedkoop eten houden. Dure pizza's, met zeldzame truffels erop in plaats van gewone champignons, met kaas die speciaal per muilezel uit Italië was gehaald ('En dat proef je!' zei mijn moeder altijd, hoewel ze er niet bij zei *hoe* je dat precies kon proeven. Of, nog belangrijker,

*waarom* je iets zou willen proeven dat naar muilezel smaakt). Met tomaten die nergens ter wereld groeien, behalve in een kleine, geheime vallei in de Alpen. Enzovoort.

Belachelijk sjiek, belachelijk duur. Maar ook, dat moet ik toegeven, belachelijk lekker.

Vanaf het moment dat mama de telefoon neerlegde, kon Michael alleen maar op de klok kijken en naar de voordeur drentelen om te kijken of de pizza er al aankwam. Mama dekte met een dromerige glimlach de tafel.

Ik was de enige die nog aan papa dacht.

'Het is niet eerlijk,' jammerde ik. 'Die arme papa zit in een akelige cel met alleen water en brood, en wij krijgen de lekkerste pizza van de stad! Terwijl het onze schuld is, dat hij daar zit.'

'Luister goed,' zei mama. 'Het is *niet* jouw schuld dat hij gevangen zit.'

'Welles!' riep ik. 'Als wij niet zo hadden gezeurd, dat we naar de politie wilden...'

'Je vader is een groot mens,' zei mama bits. 'Grote mensen moeten kinderen, die om domme dingen zeuren, hun zin niet geven. Als een groot mens een zeurend kind zijn zin geeft, verdient hij alle ellende die ervan komt. Dus je vader zit prima, daar in de cel. Hopelijk leert hij er iets van. Trouwens,' ging ze grinnikend verder, 'je vader staat binnen een dag weer voor de deur. Wedden?'

'Ik geloof er niks van,' zei ik somber.

'Ach, natuurlijk wel! Eens even kijken... hoe laat heeft de politie hem meegenomen?'

'Eh... een uur geleden ongeveer...'

'Nou,' zei mama triomfantelijk, 'drie kwartier geleden is er een varkensboerderij opgeblazen door de Donderkat. Dat kan je vader natuurlijk niet gedaan hebben, dus zelfs de politie zal snappen dat hij de Donderkat niet is.'

'Ik weet niks van bommen,' zei ik, 'maar zelfs ík weet nog wel dat het een tijdbom geweest zou kunnen zijn. Met zo'n klokje erbij.'

'Da's waar,' gaf mama toe. 'Maar goed, morgen is er weer een dag, en dan gaat er een bankgebouw de lucht in. En overmorgen een wapenfabriek. Dát gaat knallen, jongens!'

Er kwam een klein geluidje uit Michaels keel.

Lijkbleek zat hij naar mama te staren; zijn ogen leken wel tennisballen, zo groot.

'Wat is er met jou?' vroeg ik.

Hij keek me aan alsof ik gek was en wees naar mama.

Ik zag niks bijzonders aan haar.

'Denk nou toch eens na, suffe druif,' riep Michael. 'Hoorde je niet wat ze zei? Morgen een bankgebouw! Overmorgen een wapenfabriek!'

'Ja, en?'

'*Hoe weet ze dat?*'

'Aha,' zei ik.

'Jaja,' zei ik.

'Op die manier,' voegde ik eraan toe.

Mama knikte me bemoedigend toe, alsof ze wilde zeggen: zet 'm op, denk nog even door, dan kom je d'r wel.

'Bedoel je,' vroeg ik, 'dat... eh... wat bedoel je eigenlijk?'

'Dat weet ik ook niet precies,' zei Michael. 'Maar één ding weet ik wel: dat mama er meer van weet, van die Donderkat. Hoe zit dat, mam? Ken jij de Donderkat?'

'Bijna goed,' zei ze. 'Ik *ben* de Donderkat.'

Er was inderdaad iets katachtigs aan haar, terwijl ze het zei. Ze leek zo intens tevreden met zichzelf als alleen een dikke poes kan zijn, die opgerold ligt te zonnen op de vensterbank. Het zou me niks hebben verbaasd als ze ter plekke was gaan spinnen.

Maar ze ging niet spinnen. Ze ging naar de deur. Want er werd aangebeld. Het was de pizzakoerier, met onze super-de-luxe pizza's.

Toen we aan tafel zaten, viel het me op dat mama een pizza met

vis had. Niet met mosselen en tonijn natuurlijk – met oesters en Japanse Kogelvis. Maar toch, vis... als een kat...

'Ben je...' Ik durfde het haast niet te vragen. 'Ben je echt een kat? Dat je in een kat kunt veranderen, als een heks of een tovenaar? Een grote oranje donderkat met handjes?'

'Natuurlijk niet,' zei mijn moeder streng. 'Toverij bestaat niet. Ik ben een wetenschapper, weet je nog? Wij geloven niet in toverij. Dat zou invloed hebben op de resultaten namelijk. Nee, ik ben gewoon een mama. Een mama die af en toe een gebouw opblaast. Dat kan best. Het beest dat jullie gezien hebben, dat was gewoon een vos. Heb ik al zo vaak gezegd. En wat ik óók al vaker heb gezegd: je vork hoort in je linkerhand en je mes in je rechter. We zijn hier niet in de binnenlanden van Boegoe-Boegoe.'

'Maar...' vroeg Michael met zijn mond vol, 'waarom...'

'Waarom wat? Waarom blaas ik gebouwen op? Ach, het begon met dat kippenhok. Weten jullie nog? Ik werd knettergek van die haan. En een wetenschapper die knettergek is, dat kan echt niet. Dat heeft *enorme* invloed op de resultaten. Twee weken later ontdekte je vader het vreselijke geheim van meneer Dogger. Die ontvoerde kinderen, weet je wel, die door de SmikSmek Mjamburgers worden gedraaid. Hij ging ermee naar de politie, op een avond, toen jullie al in bed lagen. Maar hij werd niet geloofd. In plaats daarvan werd hij ontslagen, want meneer Dogger ontdekte dat hij bij de politie was geweest en daar was meneer Dogger niet blij mee.

Goed, dacht ik. Als de politie die schurk geen lesje wil leren, dan doe ik het wel. En hoe, dacht ik, hoe leer je een gierigaard een lesje? Door hem zijn spulletjes af te pakken. Dat vindt hij het ergste, nietwaar? Dagenlang piekerde ik over manieren om Dogger al zijn geld af te pakken. Maar hoe ik ook peinsde en dacht, ik kon niks bedenken. Dat ergerde mij enorm, want meestal weet ik alles. Ik werd er chagrijnig van en daar heb ik een hekel aan. Het is zonde van je tijd, chagrijnig zijn.

Weet je wat, dacht ik: ik blaas de boel gewoon op! Dan is meneer Dogger het óók kwijt. En bovendien: dan zit *ik* er niet mee opgescheept. Stel je voor dat ik al dat geld had afgepakt! Dat ik het mee had genomen! Dan hadden *wij* al die honderden miljoenen gehad, en dan was ik de rest van mijn leven bezig geweest met inbrekers en ontvoerders buiten de deur houden. *Zonde* van de tijd. Nee, opblazen is het beste. En zo gezegd, zo gedaan.'

Michael keek naar mijn bord. 'Je pizza wordt koud,' wees hij. 'Als je geen honger hebt, mag ik 'm dan? Anders is het zonde.'

'Ja Gaby,' zei mama, 'je zit nou al vijf minuten met je eerste stukje pizza halverwege tussen je bord en je mond. Je mond, als ik het zeggen mag, die bovendien al de hele tijd half open hangt. Dat hoort niet, aan tafel. Je mag best een beetje verbaasd zijn als ik je wat vertel, maar we zijn hier niet in Boegoe-Boegoe.'

Braaf bracht ik het stukje pizza naar mijn mond en begon te kauwen. Ik proefde er maar weinig van. Ik keek vol verbazing van mama naar Michael. Ze zaten te eten alsof er niets aan de hand was. Dat wil zeggen - mama zat te eten, maar Michael was al klaar en zat nu verlekkerd naar mijn pizza te staren. Alsof hij dacht dat je een pizza recht je maag in kunt kijken, als je maar hard genoeg staart.

'En het dynamiet?' vroeg ik. 'Hoe kom je aan het dynamiet? Dat kun je toch niet gewoon in een winkel kopen?' Voor zover ik wist, hadden alleen boeven en soldaten dynamiet. En van soldaten kreeg je het niet... Zou mama naar de boeven zijn gegaan? Ik zag het voor me: mama in een lange regenjas, de kraag omhooggeslagen, in een duister steegje... een steegje met een ongure kroeg, waar kerels met littekens op hun gezicht poker speelden met het mes op tafel...

Ze barstte in lachen uit. 'Maar schatje toch!' zei ze. 'Ik ben een wetenschapper, dat weet je toch? En niet zomaar één, nee, ik mag geloof ik wel zeggen dat ik de allerknapste kop van het land ben. Dynamiet maken is voor mij een peulenschil. En er zijn nog

tientallen andere goedjes, die je kunt gebruiken om een gebouw de lucht in te laten vliegen. Ik kan die allemaal maken. Ik heb er niets eens ingewikkelde ingrediënten voor nodig. Ik zal het je nog sterker vertellen: ik kan *overal* springstof van maken. Je kunt het zo gek niet bedenken, of ik kan het laten knallen.'

'Alles?' vroeg Michael.

'Alles,' zei mama.

'Zelfs drop? En appelsap?'

'Makkelijk zat,' lachte mama. 'Appelsap en drop? Dat kan ik met mijn ogen dicht en één hand op mijn rug. Let op mijn woorden: morgen blazen we een bank op met appelsap en drop.'

Michaels ogen glansden van opwinding. 'Kunnen we het politiebureau niet opblazen?' vroeg hij. 'Dan halen we papa uit de cel, en klaar is kees.'

'Michael,' zei ik, 'doe niet zo belachelijk. Je zegt het precies verkeerd om. Je moet *eerst* papa eruit halen en *dan pas* de boel opblazen. Anders is het voor papa niet zo leuk, denk je wel?'

'Bovendien,' zei mama, 'gaan we het politiebureau niet opblazen. Daar is geen enkele reden voor. Agenten maken wel eens een foutje, maar de meesten zijn geen schurken. Dogger, die moeten we hebben! Snoet en Smek, Perskot en Bengbuk! En reken maar dat we ze...'

Op dat moment klonk er op straat een ongelooflijk lawaai. Alsof er twintig dolgedraaide stratenmakers met ijzeren voorhamers op een grote stapel bakstenen stonden te rossen.

We renden naar het raam, om te kijken wat er aan de hand was.

En wat er aan de hand was, was ongelooflijk.

Mijn mond zakte nog verder open dan hij al stond, sinds mama's verhaal.

Michael werd zo bleek als een spook.

Mama fronste haar wenkbrauwen. 'Zeg, lieverds?' vroeg ze. Haar stem klonk een beetje zorgelijk. 'Zien jullie wat ik zie? Dat ding daar, dat onze tuin binnenkomt - is dat een *tank*?'

# 8

# EEN VERGADERING
# VAN SCHURKEN

Ja, het was een tank. Een geweldig grote tank met een huivering-
wekkend kanon aan de voorkant, een bewegende berg van don-
kergroen staal, die zomaar de stoep opkwam en het siergras in
onze voortuin platreed.
'Dit gaat je vader niet leuk vinden,' zei mama. 'Hij was apetrots
op dat gras.' Dat was hij inderdaad, want het was zeldzaam Oe-
gandees moerasgras, dat in ons land eigenlijk niet groeien kan.

Uren en uren had mijn vader op zijn knieën in de tuin rondge-
kropen, gravend en rommelend, in de weer met olifantenmest
en spulletjes om het grondwater meer of minder zuur te krijgen. In de winter had hij speciale lampen en kachels in de tuin
gezet om het licht en de warmte van de Oegandese moerassen
na te bootsen. Onder tuinliefhebbers was mijn vader beroemd
om dat gras, hij was zelfs een keer op tv geweest (in een heel saai
programma, dus het telde niet echt).
En nu: rats, daar ging het gras.
De tank kwam tot stilstand, vlak voordat het kanon ons raam
inbeukte.
Bovenin ging een luikje open. Een meneer stak zijn bovenlijf
naar buiten. Het was geen soldaat, maar een man in een zaken-
pak. Hij was lang en slank en hij had glanzend zwart haar en een
brede glimlach met veel tanden erin. Hij zwaaide naar ons.
Mama deed het raam open.
'Goedemiddag,' riep de man. 'Sorry van de tuin, hoor.'
'Ja,' zei mijn moeder. 'Dat was dus het enige Oegandese moerasgras ten noorden van de evenaar.'
'Ik zei toch al sorry?' antwoordde de man geprikkeld. 'Ik zou u
graag de schade vergoeden, hoor, maar daar kan ik niet aan beginnen. Ik heb een wapenfabriek, begrijpt u wel, en als ik telkens moest betalen als mijn tanks iets kapot maakten, dan...
haha! Om van de handgranaten nog maar te zwijgen, haha, en
de bommen en de kogels, hahaha!'
'Heel grappig,' zei mama. 'Wat doet u precies in onze tuin, als ik
vragen mag?'
'Ik wilde vragen: weet u de weg naar de Dromedarisstraat?'
'Ja hoor,' knikte mama vriendelijk, 'dat is hier achter. Hier naar
rechts, dan de eerste rechts en dan wéér de eerste rechts.'
'Dank u,' zei de man. Hij verdween zijn tank in en klapte het
luikje dicht. Ronkend en bonkend begon het gevaarte achter-
uit te rijden. Het draaide een kwartslag in de richting van de

Dromedarisstraat en verdween.

Verbijsterd staarden we naar mama.

'Wat is dat nou?' vroeg Michael verontwaardigd. 'Laat je hem zomaar wegrijden? Word je niet kwaad? Geef je hem niet eens een Boze Blik?'

Mama schudde vrolijk haar hoofd. 'Wie denken jullie dat dat was?' vroeg ze.

'Een boerenhufter in een tank,' zei Michael.

'Dat soort woorden zeg je niet,' zei mama streng. 'Ook niet als ze waar zijn. We zijn hier niet in Boegoe-Boegoe. Wie denk jij dat het was, Gaby?'

Ik had het natuurlijk allang begrepen. 'Papa heeft ons iets verteld over een wapenfabrikant... hoe heet hij ook weer...'

'Meneer Bengbuk,' knikte mama. 'Nou, dat was hij dus. Morgen blazen we zijn fabriek op, met appelsap en drop.'

'We zouden toch een bankgebouw doen?' vroeg ik.

'Het plan is veranderd,' zei mama met haar meest meedogenloze glimlach.

'Wat zou die Bengbuk gaan doen in de Dromedarisstraat?' vroeg Michael zich af.

'Doe niet zo suf,' schamperde ik. 'Hij is toch een vriendje van meneer Dogger? Hij gaat gewoon op bezoek.'

Er verscheen een gevaarlijk lichtje in Michael's ogen. 'Ik, eh... Ik vraag me af wat die schurken te bespreken hebben.'

'Vast niet veel goeds,' zei ik.

Michael keek naar mama en grijnsde. 'En jij?' vroeg hij. 'Zou jij het ook wel willen weten, wat ze tegen mekaar zeggen?'

Mama grijnsde terug. 'Wat ben je toch een heerlijke jongen,' zei ze. 'Ik begrijp *precies* wat je bedoelt. Snel, Gaby, trek iets onopvallends aan. We gaan uit spioneren. Moet er nog iemand naar de wc?'

Niemand hoefde.

Even later sloop ik, gehuld in papa's groene regenjas, achter mama en Michael aan door onze achtertuin. In de schutting achteraan was een poortje; daarachter lag een gangetje en dáár weer achter de tuin van meneer Dogger. Gelukkig had die akelige gierigaard zijn tuinhek, dat was vernield toen het kippenhok ontplofte, niet fatsoenlijk gerepareerd. Op de plaats waar het hek had gestaan, waren een paar touwtjes gespannen. Daaraan waren twee bordjes opgehangen. Op het ene stond 'verboden toegang' en op het andere 'weg kssst'. Dat was alles.

Het was belachelijk gemakkelijk om onder de touwtjes door te glippen en ons te verstoppen in de tuin van Dogger. Het gras werd er nooit gemaaid en de struiken niet gesnoeid. Dat vond meneer Dogger zonde van zijn tijd. En een tuinman inhuren, dat deed hij natuurlijk al helemaal niet. Het gras kwam dan ook tot onze schouders, en de struiken groeiden door elkaar als een bord spaghetti. Maar dan de lucht in.

Door deze woestenij konden we tot vlak bij het huis sluipen en naar binnen gluren. Daar zat meneer Dogger te praten met Bengbuk. Bij hen zaten nog drie andere mannen. Een van de drie was een klein spichtig kereltje dat nerveus met zijn vingers trommelde. Hij had een blauwe overall en groene rubberen laarzen aan.

'Dat,' vertelde mijn moeder, 'is meneer Perskot. De varkensfokker. Zien jullie die magere kerel naast hem?'

We knikten. De kerel was lang en graatmager; zijn zwarte pak hing van zijn benige schouders als een mantel.

'Dat is meneer Smek,' zei mama. 'Van de SmikSmek Mjamburgers. Die daar naast hem is de kinderdief Snoet.'

Snoet was een man met een buitengewoon vriendelijk en openhartig gezicht. Echt het gezicht van een man die er pret in heeft snoepjes uit te delen aan lieve kinderen, gewoon omdat hij het fijn vindt om kinderen blij te maken. Ik huiverde.

Op dat moment ging kennelijk de bel, want Dogger stond op om

de deur open te doen. Even later kwam hij terug met een deftige oude heer, met witte bakkebaarden en nog wittere handschoenen. Dat was meneer Cockel, de oliebaas.

'Zelden,' zei mijn moeder, 'is er zoveel schurkachtigheid in één kamer bij elkaar geweest.'

De zes heren schoven hun stoelen dicht bij elkaar, en Dogger keek met een zoekende blik de tuin in. We doken zo diep mogelijk tussen de struiken en het hoge gras. Dogger liep achterdochtig naar het raam.

Ik kneep mijn ogen dicht. Dat sloeg nergens op, wist ik ook wel, je wordt heus niet onzichtbaar als je je ogen dichtdoet. Baby's van twee denken dat, maar ik ben al negen en ik weet heus wel beter. En toch: ik kon het niet tegenhouden. Ik kneep mijn ogen dicht en ik deed ze pas weer open toen ik mama hoorde fluisteren: 'Wat een idioot. Wie doet er nou de gordijnen dicht als hij een geheime vergadering heeft?'

'Papa deed dat ook,' zei ik. 'Gisteren nog.'

Mama zuchtte diep. 'Je vader is een lieve schat,' zei ze. 'Maar voor samenzweerder is hij niet geschikt.'

'Wat is er dan verkeerd aan dichte gordijnen?'

'Wij kunnen meneer Dogger niet zien - daar kan ik wel mee leven - maar die sufferd kan ons ook niet zien. Kom!' En ze sloop naar het raam, legde haar oor ertegenaan en luisterde.

Michael volgde onmiddellijk haar voorbeeld. Ik ook, al durfde ik eigenlijk niet.


'...ernstige toestand,' hoorde ik meneer Dogger zeggen. 'Ze blazen alles op. Mijn kippenhok, mijn hoofdkantoor, één van Smek's Mjamburgerbars, en nu weer de boerderij van Perskot.'

'Ja,' piepte een spichtig stemmetje. 'We hebben nog geluk gehad, dat er niemand binnen was. Maar, maar, er is ook een muur van de stal vernield. Tweehonderd biggen ontsnapt. De buurman is woedend want, want, mijn biggen hebben zijn bonen opgege-

ten. En, en, nou moet ik hem die bonen betalen en, en, dat geld heb ik helemaal niet en, en, en, en...' Er klonk een zenuwachtig gesnik en daarna het geluid van iemand die zijn neus snoot.

'Dat geld is geen probleem,' suste Dogger. 'Dat leen ik je wel.'

'Maar, maar, ik kan het niet terugbetalen!'

'Fok dan meer biggen!' snauwde Dogger.

'Maar, maar, maar, maar...'

'Zeg Dogger,' zei een deftige stem, 'heb je me hierheen laten komen om naar een huilende varkensboer te kijken?'

'Nee, natuurlijk niet, meneer Cockel,' teemde meneer Dogger. 'We moeten overleggen over die bommen.'

'Ik heb geen last van bommen,' zei meneer Cockel verveeld.

Mama knipoogde naar ons en fluisterde: 'Dat komt nog wel.'

'Waar het om gaat,' zei Dogger, 'is dat die bommenleggers vuile schurken zijn, die het bezit van onschuldige burgers kapotmaken!'

'Ik zou ons niet echt "onschuldige burgers" noemen,' antwoordde meneer Cockel koeltjes.

'En trouwens, wat dan nog?' vroeg Bengbuk. 'Wat is er mis met het opblazen van onschuldige burgers? Als het maar met *mijn* bommen gebeurt, vind ik het best. Dan verdien ik er nog wat aan.'

'Wacht eens even,' zei iemand. 'Is mijn mooie Mjamburgerbar opgeblazen met *jouw* bommen?'

'Nee,' gromde Bengbuk. 'Was het maar waar. Die amateurs verpesten de markt.'

'Ze moeten ophouden!' schreeuwde meneer Dogger. 'Nu! Meteen!'

'Kunnen we de politie er niet bijhalen?' vroeg Perskot.

'De politie is een bende sukkels,' gromde Dogger.

'Gelukkig wel,' zei een vriendelijke stem, 'anders hadden Smek

en ik allang achter de tralies gezeten. En jij ook, Dogger!'

Enkele heren lachten beleefd.

'Ja,' zei Dogger, 'lach maar. Heb je die vluchteling al gevangen, of hoe zit het?'

'Toevallig wel,' kwam het antwoord. 'Ongeveer een uurtje geleden. Ze zal niet nog een keer ontsnappen, daar kun je zeker van zijn.'

'Jaja, dat zei je de vorige keer ook. Ik zal pas gerust zijn als die rotgriet tot Mjamburgers is gehakt.'

'Doen we morgenvroeg. Zodra de fabriek opengaat.'

'Heren,' zei meneer Cockel beleefd, 'mijn tijd is beperkt. Het gesmoes over jullie duistere zaakjes hoef ik niet te horen. Kunnen we beginnen met het belangrijkste?'

'Zoals u wilt,' zei meneer Dogger. Zijn stem daalde tot fluistertoon. 'Ik heb een plan, heren. Het gaat als volgt...'

Maar voordat ik kon horen wat het plan van Dogger precies was, hoorde ik achter mij een afschuwelijk gegrom.

# 9
# DE BAZOOKA BEPAALT

Misschien weet je nog dat ik, aan het einde van hoofdstuk 1, geen tijd had voor een beschrijving van Snoesje, de hond van meneer Dogger. Nu, aan het begin van hoofdstuk 9, heb ik eigenlijk nog steeds geen tijd. Maar uitstellen gaat niet meer: ik moet vertellen over Snoesje.

Snoesje was lelijk. Snoesje was een buldog.

De buldog is één van de lelijkste dieren die onze aardbol ontsieren. Zelfs de meest verstokte hondenliefhebber, iemand die het niet erg vindt, die het zelfs wel *prettig* vindt om in een dampende hondendrol te trappen – zelfs zó iemand moet toegeven dat een buldog een foeilelijk beest is. Het begint bij de snuit. Die is plat, rimpelig en ingedeukt - ziet eruit alsof de buldog op volle snelheid tegen een muur is geramd. Heel vaak.

De oogleden van de buldog hangen slap naar beneden, zodat je het roze vlees ziet bij de binnenkant van het oog. Ook de oren hangen mismoedig naar beneden. Achter de oren zit bijna geen nek, en achter die bijna-niet-bestaande nek zit de brede, gespierde borstkas van de buldog. En dáár weer achter zit een staartje van niks. Het geheel wordt gedragen door vier kromme, misvormde pootjes. Daarmee strompelt de buldog door het leven. Hijgend en rochelend, want buldogs zijn niet goed in ademhalen. Vanaf de dag dat ze geboren worden, zijn ze ziek. Hoesten, snotteren, rimmetiek in de pootjes, overal jeuk: noem het maar op, de buldog heeft het. Uit zijn lellende mondhoeken druipen voortdurend dikke klodders kwijl.

En als Snoesje nou alleen maar lelijk was geweest, dan had je nog kunnen denken: acht gut, arm dier. Maar Snoesje had een uitgesproken rotkarakter. Een valsere hond kun je je niet voorstellen. Alle kinderen bij ons in de buurt waren door hem gebeten. Er werd zelfs gefluisterd dat Snoesje bij een jongetje allebei de benen had afgebeten. Niemand wist hoe het jongetje heette, maar iedereen wist dat het waar was.

En een ander kind was maar heel zachtjes gebeten, met maar een heel klein beetje bloed, maar het was toch doodgegaan. Snoesje was zo vies en zo ziek, zijn kwijl zat zo vol vuil en beestjes, dat je de meest vreselijke ziekten kon oplopen als hij je te grazen nam.

Het was diezelfde Snoesje, die achter mijn rug stond te grommen (en te hijgen en te rochelen). Ik herkende het piepende, reutelende geluid meteen en ik schrok me wezenloos.
'Mama,' fluisterde ik. 'Snoesje!'
Mama stond met haar rug naar me toe, maar aan haar stem kon ik horen hoe breed ze glimlachte. 'Jij bent zelf een snoes, lieve schat. Maar nu niet, want mama probeert even te spioneren.'
'Ik bedoel Snoesje de hond.'

Als door een wesp gestoken draaide mama zich om. 'Gatver! Dat vieze beest!' Razendsnel pakte ze een brok beton van de grond (een stuk van het ontplofte kippenhok). 'Eén beweging,' siste ze. 'Eén beweging in de richting van mijn kinderen en je hebt je laatste stinkende adem uitgerocheld...'

Even keken ze elkaar aan – de valse hond en de Donderkat. Toen zette Snoesje het op een blaffen. Verbazend hard, voor zo'n kortademig mormel.

'Rennen jongens,' zei mama, maar als we wilden rennen moesten we langs Snoesje. Dat durfden we niet zomaar meteen, en toen we onze moed hadden opgepompt was het te laat. Het gordijn achter ons was al opengeschoven.

Snoet deed het raam open. Michael, die er nog met zijn oor tegenaan stond, tuimelde bijna naar binnen.

'Willen jullie even binnenkomen?' vroeg Snoet vriendelijk. 'Dat mag best hoor. Kom maar, dan krijgen jullie een snoepje.'

'Nee, dank je wel,' zei mama. 'Snoepjes zijn slecht voor de tanden.'

'Oh,' zei Bengbuk, die plotseling naast Snoet opdook, 'als dat alles is heb ik goed nieuws voor jullie: jullie *hoeven* geen snoepje aan te nemen. Maar jullie moeten wel binnenkomen. Anders dan schiet ik.'

Er lag een groot en ingewikkeld schietapparaat op zijn schouder.

'Wat is dat voor een ding?' vroeg mijn moeder verbijsterd. 'Het lijkt wel een... een bazooka met knaldemper!?'

'Mijn complimenten,' zei Bengbuk. 'Het *is* een bazooka met knaldemper.'

'Waar slaat dat op?' riep mijn moeder verontwaardigd. 'Wat heeft dat voor nut? Een geluidloos apparaat om granaten mee af te vuren, die vervolgens keihard ontploffen?'

'Het is nog een probeersel,' legde Bengbuk uit. 'Eerlijk gezegd heb ik geen idee wat er gebeurt, als ik hem afvuur. Maar ik ben

razend benieuwd, dus als u mij ook maar de geringste reden
geeft om te schieten...'

'Niks d'r van' zei mama. 'Ik weiger me te laten beschieten met
zo'n onlogisch en slecht ontworpen apparaat. Je pakt maar een
pistool of zo, als je dan zo nodig moet.'

'Dame,' zei Bengbuk met een kleffe glimlach, 'ik heb bewonde-
ring voor uw lef, maar ik vrees dat u weinig te weigeren hebt.
Zoals wij wapenhandelaren zeggen: De Bazooka Bepaalt. Ofte-
wel: een man met een bazooka krijgt altijd zijn zin. Ik zou zeggen: maakt u vooral een verdachte beweging.'

Dat deed mijn moeder niet, natuurlijk. Even later stonden we in
de woonkamer van meneer Dogger.

'Kijk eens aan,' zei Dogger, 'kijk eens aan. Zij van hierachter. En
haar twee kinders. Stonden jullie te luistervinken?'

'Nee hoor,' zei Michael.

'Geef het maar gewoon toe, joh,' zei Snoet goedmoedig.

'Nee,' zei Michael.

'De afdruk van je oor staat nog op het raam,' grijnsde Smek. 'Je
moet je vaker wassen, knul.'

'Nietes,' hield Michael vol.

'Geef toe!' brulde Bengbuk. Hij sloeg met zijn vuist op tafel en
schreeuwde zo hard, dat ik een halve meter de lucht in sprong.
Maar Michael gaf geen krimp.

'Wat hebben jullie gehoord?' snauwde Dogger. 'Wat weten jullie
van onze plannen?'

'Niks,' zei mama.

'Denkt u nou echt dat ik dat geloof? Jullie stonden te luisteren!
Geef toe!' Het gezicht van Dogger werd vlekkerig rood, en zijn
ogen puilden bijna uit zijn hoofd. Buiten begon de hond te blaffen.

Er klonk een beleefd kuchje. Meneer Cockel wendde zich tot ons.
'Het maakt niet uit of ze toegeven,' zei hij.

'W... Wat bedoelt u?' vroeg Dogger. 'Bedoelt u dat we ze gewoon...
zonder meer...'

'Ik bedoel niks,' zei meneer Cockel. 'Handel het af op de manier die u het beste lijkt, dat is alles.'

'Overhoop schieten?' vroeg Bengbuk. 'Of moeten we ze door de Mjamburgers doen?'

Meneer Cockel keek Bengbuk misprijzend aan. 'Hoe jullie je smerige zaakjes afhandelen moet je zelf weten. Ik zeg alleen maar: als er iets gedaan moet worden, nou - doe het dan.'

Zijn vervelde stem en de ijskoude blik waarmee hij ons aankeek maakten me bijna misselijk. Nu pas begreep ik hoe schurkachtig hij was; de gevaarlijkste van het hele stel. Hij had geen *opdracht* gegeven ons dood te maken. Dat hoefde hij niet. De andere heren wilden hem zo graag een plezier doen, dat ze alles deden wat ze *dachten* dat hij wilde.

Als de mensen alles doen wat je zegt, ben je machtig, dacht ik. Maar als je nooit iets hoeft te zeggen, ben je nog machtiger.

Nu pas begreep ik werkelijk wat mijn vader bedoeld had: dat je misdadig kon zijn zonder zelf ooit een misdaad te plegen. Meneer Cockel zou nooit iemand doodmaken. Hij zou zelfs nooit de opdracht geven om iemand dood te maken. En toch: als hij vond dat je hem in de weg stond, dan was er niemand die je kon redden.

'Ik doe ze wel door de Mjamburgers,' zei Smek. 'Dan verdien ik er nog wat aan.'

De anderen knikten, behalve meneer Cockel. Die keek uit het raam en deed of hij er niks mee te maken had.

Snoet haalde een klein, zwart knuppeltje uit zijn broekzak. Hij mikte even zorgvuldig, gaf mama een tik op het achterhoofd en ze zakte bewusteloos op de grond.

'Dat doe je handig,' zei Bengbuk bewonderend.

'Kwestie van talent,' zei Snoet bescheiden. 'En heel veel oefenen natuurlijk.'

Hij liep naar Michael en gaf ook hem een soepele tik op zijn hoofd. Michael keek heel even scheel en viel traag voorover.

Daarna kwam Snoet op mij af. Hij mikte... haalde uit...
Heel even deed mijn hoofd vreselijk pijn.
Daarna was er niets meer.

Toen ik wakker werd, had ik nauwelijks hoofdpijn.
'Gaat het?' vroeg mijn moeder, die naast me zat.
'Eigenlijk wel,' zei ik verwonderd. 'Het lijkt wel of ik gewoon een nachtje geslapen heb.'
'Zo is het bij mij ook,' zei Michael. 'Die Snoet weet wel hoe je moet slaan, zeg. Hard genoeg om je bewusteloos te meppen, maar toch niet zo hard dat je er last van houdt.'
'Ja, heel knap,' zei mijn moeder grimmig. 'Heel fijn. Werkelijk een bewonderenswaardige man, die Snoet.'
'Waar zijn we eigenlijk?'
'In een soort rommelhok, geloof ik,' zei mijn moeder.
Ik keek om me heen. Het was donker. Er kwam een klein streepje licht onder een deur door, en bij dat hele kleine streepje licht zag ik dat we in een kamertje lagen, ongeveer zo groot als mijn slaapkamer.
Langs alle muren waren planken getimmerd. Daarop stonden allerlei bakken en blikken, tubes en doosjes. Grote dozen, kisten en kratten stonden op de vloer. Michael en mijn moeder zaten naast me, Michael aan de ene kant en mama aan de andere.
Een tijdje keken we peinzend om ons heen.
'Zijn we nog in het huis van Dogger?' vroeg Michael.
'Geen idee,' zei ik. 'Maar waar we ook zijn, we gaan hier snel weg.'
'De deur zit op slot,' zei Michael. 'Ik heb al honderd keer geprobeerd de klink om te draaien. Is niet gelukt.'
'Nou,' zei ik, 'dan maken we die deur toch stuk? 't Is misschien niet zo netjes om andermans deur te slopen, maar ik heb geen zin om te eindigen als Mjamburger.'
'Deze deur krijg je niet kapot,' zei mijn moeder somber. 'Hij is van staal.'

'Staal?' lachte ik schamper. 'Een stalen deur houdt ons niet tegen. Een stalen deur, dat is een makkie.'

Het was te donker om hun gezichten te zien, maar ik wist dat mama en Michael mismoedig hun hoofd schudden. Tss, dom klein zusje. Dom klein zusje snapt niet dat stalen deur niet kapot kan.

Nou, dom klein zusje zou ze eens wat laten zien.

Dom klein zusje had een plan.

Groot slim plan.

# 10

# HET JUNGLEDOOSJE

'Ben ik dan de enige hier, die het hoofd koel houdt?' grijnsde ik. 'Ik bedoel: hallo! Die sukkels weten niet wie ze opgesloten hebben... De Donderkat! De Donderkat zelf! Daar zullen de heren nog lang spijt van hebben. Mam, ik zou zeggen: doe je Donderkat-ding en knal even een gat in die muur, wil je?'

'Lieve schat,' zei mama, 'waar wil je dat ik dat mee doe? Met mijn blote handen? Voor een ontploffing heb je springstof nodig, liefje, dat weet je toch wel?'

'Huh,' deed ik, 'jij kon toch springstof maken? Overal van? Noem het maar op, zei je, en ik kan het laten ontploffen.'

'Ja,' zuchtte mama, 'ik kan overal springstof van maken. Maar niet zomaar. Ik heb er mijn laboratorium bij nodig, met mijn flesjes en buisjes, mijn brandertjes en schuddertjes, mijn boeken en spulletjes. Ik ben een wetenschapper, geen tovenaar die maar even met zijn handen hoeft te zwaaien en boem-flits-knal, weg is de deur.'

'Nou ja, zeg, je kunt het toch proberen?'

'Ja mam,' viel Michael me bij. 'Denk nou eens redelijk na! Als we het niet proberen, worden we door de Mjamburgers gedaan. Als we het wel proberen en het mislukt, dan worden we ook door de Mjamburgers gedaan. Maarrrr... als we het proberen en het lukt, dan zijn we gered.'

'Daar heb je gelijk in, Michael,' zei mama. 'Proberen kan geen kwaad. Laten we eens kijken wat er allemaal in die potten en flessen zit.'

Dat was geen eenvoudig klusje. Op de meeste dozen en kratten stond wel wat erin zat, maar het was in het kamertje te donker om de etiketjes te kunnen lezen. We hadden nog steeds alleen dat dunne streepje licht onder de deur. Als we de etiketten heel dicht bij de deur hielden, konden we ze met een beetje moeite grotendeels ontcijferen. In de kleinere blikken en flessen vonden we van alles: verf, schoonmaakmiddelen, inkt en (stiekem weggestopt achter een rijtje andere flessen) een grote fles jenever. Op de grotere dozen stonden namen als 'Rotweg' en 'Schimmeldood'. Eronder stonden lange woorden, zoals 'natriumorthofenylfenol', en daar weer onder stonden plaatjes van doodshoofdjes, vlammetjes en gasmaskertjes.

Mijn moeder werd zo bleek dat ze bijna licht gaf in de duisternis van het rommelhok.

'Als dit is wat ik denk dat het is,' zei ze zachtjes, 'dan zitten we in de Mjamburgerfabriek. En die Smek is een nog grotere schurk dan ik al dacht. Het spul in die dozen is vreselijk giftig, het maakt alle schimmels en beestjes dood. Als je ook maar een snufje van

dit goedje door de Mjamburgers doet kun je die dingen wel een half jaar lang bewaren. Zonder koelkast. Ze worden gewoonweg te giftig om te bederven.'

'Maar...' vroeg ik, 'kunnen mensen ze dan nog wel eten?'

'Het *kan* wel,' zei mijn moeder. 'Er zit maar een heel klein beetje gif in, natuurlijk. Je moet tientallen Mjamburgers eten om daar ziek van te worden, en dan nog kan het wel twintig jaar duren. Ja, als jullie vanaf nu elke dag een Mjamburger zouden eten zouden jullie waarschijnlijk de dertig nog wel halen. Behalve dan dat jullie morgenmiddag waarschijnlijk Mjamburgers *zijn*. Net als ik trouwens.'

'Ik weet niet, hoor,' zei ik snibbig, 'maar als dit goedje zo gevaarlijk is, kun je er dan geen bom van maken?'

'We zullen zien,' zei mama. Ze ging op een krat zitten en verroerde vervolgens geen vinger meer.

Na een half uur zei Michael voorzichtig: 'Eh, mama... zou je niet onderhand eens aan de slag gaan?'

'Ik ben bezig,' zei ze. 'Ik ben druk bezig.'

'Oh? Wat ben je aan het doen dan?'

'Ik ben aan het nadenken. Dat zie je niet, want het zit aan de binnenkant, maar het is hard werken hoor. Weten jullie wat een molecuul is?'

'Jahaa,' zuchtten wij in koor. Dat hadden we nou al duizend keer gehoord, bij het leerzame tv-programma.

'Nou? Wat dan?' wilde mama weten.

'Dat is als je iets in hele kleine stukjes snijdt, en dan het allerkleinste stukje, dat niet meer kleiner kan.'

'Hmm,' deed mama. 'Bijna goed. Behalve dan dat een molecuul nog wel kapot kan, als je hem bijvoorbeeld verbrandt. Of onder stroom zet. Of zo. Ik moet onthouden welke moleculen er allemaal in die potten en flessen en dozen zitten. Dan moet ik verzinnen hoe ik ze kapot zou kunnen krijgen - en onthouden welke stukjes van moleculen ik zou kunnen maken - en ten slotte moet

ik bedenken hoe ik de stukjes weer aan elkaar kan knopen tot nieuwe moleculen. Springstof-moleculen.'

'Ingewikkeld,' zei ik.

'Dat valt wel mee,' glimlachte mama. 'Wat het pas echt ingewikkeld maakt is dat ik hier geen goede manier heb om moleculen te slopen. Geen stroom, geen vuur...'

Even was het stil.

'Ik denk niet dat het me gaat lukken,' zei mama somber.

We hadden alledrie dezelfde, droevige gedachte: over een paar uur is er van ons niets anders over dan een grote doos Mjamburgers.

Maar dom klein zusje was nog niet verslagen.

'Michael,' vroeg ik met ingehouden adem, 'heb jij je jungledoosje in je zak?'

Het jungledoosje was een uitvinding van Michael zelf. Het was - verrassing, verrassing! - een typisch jongens-idee. Een mengeling van verstand en stompzinnigheid die alleen een jongen zou kunnen bedenken. Michael was apentrots toen hij het liet zien, twee jaar geleden.

'Hee Gaby, moet je eens zien wat ik gemaakt heb!'

Het was een klein plastic doosje voor als je toevallig verdwaalde in de wildernis. Het kon Michael niet schelen dat hij ongeveer nul komma nul kans had om te verdwalen in de wildernis (binnen de tweehonderd kilometer van ons huis was geen enkel bos te vinden zonder wandelroutes en pannenkoekenhuisjes).

'Want *als* ik verdwaal,' zei hij, 'dan hoef ik niet bang te zijn zolang ik mijn jungledoosje heb. Daar zit een kompas in, dus dan kan ik altijd de weg vinden.'

'Heb je dat al ooit gedaan?' vroeg ik, 'lopen met een kompas?'

'Nee, maar hoe moeilijk kan dat nou zijn? Trouwens, zelfs als ik tien jaar lang verdwaald blijf is er niks aan de hand. Ik zal niet verhongeren, want in mijn doosje zit een vislijn en een haakje.'

'Moet je wel verdwalen in de buurt van een visvijver,' scham-

perde ik. 'Trouwens, je hebt nog nooit gevist. En rauwe vis is hartstikke smerig.'

'Ach, vissen, hoe moeilijk kan dat nou zijn? En het hoeft niet rauw, want er zitten ook lucifers in. En nog veel meer.'

Lucifers!

Vandaar dat ik het vroeg, van zijn doosje.

'Tuurlijk heb ik dat bij me,' bromde hij. 'Ik heb het *altijd* bij me. Voor niks. Nooit, nooit, *nooit* ben ik verdwaald in de wildernis. Nooit een jungle van dichtbij gezien. Nooit op een olifant gezeten, in een ballon gevlogen. Nooit op een surfplank op de zee geweest. Ik heb bijna *niks* gedaan in mijn leven. Naar school geweest, ja, dat wel, zes jaar lang naar school en waar heb ik al die tijd voor geleerd? Voor het mooie beroep van Mjamburger!'

'Kop dicht,' zei ik, 'en hier met dat doosje. Kijk mam, lucifers! Vijf stuks. Hebben we daar wat aan?'

Michael maakte kleine chagrijnige geluidjes. Hij vond het maar niks dat dom klein zusje opeens met allemaal slimme plannen kwam. Plannen met *zijn* doosje, nog wel!

'Hmmm,' deed mama. 'Vijf lucifers... da's niet veel.'

'Zal ik een fik stoken?' vroeg Michael haastig. 'Van een paar dozen? Kan ik heus wel hoor. Hebben we vuur zat om weet ik hoeveel moleculen te slopen.'

'Dat,' zei mama, 'is het stomste idee dat ik ooit heb gehoord. Fik stoken in een hok waar je niet uitkunt? Dan ben je straks rookvlees, in plaats van Mjamburger. Nee, we zullen het met die vijf lucifers moeten doen. Laat me nog eens even denken...'

Ze ging weer op haar krat zitten en dacht na. Soms stond ze heel even op om voor de tweede (of derde, of twaalfde) keer in een doos te kijken of een etiket te bestuderen.

Ten slotte zei ze: 'Het kán. Maar alles moet in één keer goed, want we krijgen geen tweede kans.'

En dus gingen we aan de slag.

Het was een ongelooflijk ingewikkelde toestand. Om te begin-

nen goten we een hele reeks blikjes en flesjes leeg op de grond. Die konden we dan zo meteen gebruiken als mengbekertjes en pannetjes.

Alles moest precies in de goede volgorde klaarstaan en mijn moeder legde ons twintig keer uit wat we moesten doen.

'Eerst dertig druppels uit dat flesje daar, die doe je in dat blikje. Daarna moeten er vijfenveertig korreltjes van dat spul bij. Dertig seconden zachtjes schudden, dan zeven druppels uit dat andere flesje erbij. Dan doe je wat van dit en van dat in dat andere blikje en daar hou je de eerste lucifer bij. Na zeven seconden kieper je de inhoud van het eerste blikje erbij. Dan hou je een halve minuut je adem in, want de damp die er vanaf komt is...?'

'Giftig,' zeiden Michael en ik in koor. Want na twintig keer weet je dat echt wel.

'Heel goed. Daarna pak je wat van die stinkende drab - pas op dat je het niet met je vingers aanraakt! - en die steek je aan met lucifer nummer twee. Dan krijg je, als het goed is, een glimmend zwart poeder met hele kleine glitterspikkels. Daarbij doe je...'

Enzovoort, tot je een groen, waterig goedje overhield.

'Eh... mama,' zeiden wij, 'waarom maak je dat groene spul zelf niet zelf? Het is zo vreselijk ingewikkeld allemaal!'

Mama lachte: 'Oh, maar het is nog veel ingewikkelder dan jullie nu denken! Want terwijl jullie bezig zijn met het groene spul, ga ik zelf aan de slag om een paarse glibberklont te maken. We moeten precies tegelijk klaar zijn. Als mijn klont niet *meteen* door jullie groene goedje wordt gedaan is alles voor niks. Dan werkt het niet. En we hebben niet genoeg lucifers om het een tweede keer te proberen. Goed. Zijn jullie er klaar voor?'

'Nee,' zeiden wij.

'Heel goed,' zei mama. 'Als je denkt dat je er klaar voor bent, dan let je niet goed op. Dan maak je fouten. Dus dit is het beste moment om te beginnen. Zeggen jullie het als de giftige damp eraan komt? Drie... twee... een... nu!'

Met zenuwachtig trillende vingers pakte Michael het eerste dekseltje, en ik deed er dertig druppels in.

In verbeten stilte werkten we. Vijfenveertig korrels... schudden... zeven druppels...

'Gaat het, jongens?' vroeg mama.

'Ja mam.'

'Zijn jullie al bij blikje nummer twee?'

'Ja.'

'Goed zo.'

'Opgepast, mam! Giftige damp!'

Even later zei mama: 'Pas op jongens, even je ogen dicht, er komt een hele felle lichtflits. Drie... twee... een... nul...'

Nog een tijdje later vroeg mama: 'Is jullie groene goedje bijna af?'

'Bijna, mam,' zei ik. 'Michael moet nog even de laatste dingen in mijn blikje gooien en... au!' het blikje dat ik in mijn vingers had, werd plotseling gloeiend heet. Het deed vreselijk pijn en ik schrok er zo vreselijk van dat ik het blikje op de grond liet vallen. Met grote ogen van ontzetting zagen Michael en ik het kostbare groene goedje op de grond lopen. Haastig raapten we het blikje op. Het was alweer afgekoeld.

Maar er zat nog maar een heel klein beetje groen spul in.

# 11

# KWETTER

'Oh mama!' huilde ik. 'Ik heb gemorst!'

'Geeft niks,' riep mama. 'Geef maar snel aan mij.'

Met trillende vingers van teleurstelling gaf ik haar het blikje. Haastig gooide ze haar paarse glibberklont erbij en schudde het blikje.

'Het geeft niks, lieve schat,' zei ze tegen mij. 'Jullie hebben het *geweldig* gedaan. Ik durfde niet te hopen dat het zó goed zou gaan.'

'Goed!?' riep Michael boos. 'Wat nou: goed? Die stomme Gaby heeft het blikje laten vallen. Onze laatste kans! Hoe kunnen we nou nog ontsnappen? Straks worden we door de Mjamburgers gehakt! Je wordt bedankt, zus!'

'Hoho,' zei mama streng, 'Gaby kan er niks aan doen. Ik had haar moeten waarschuwen, dat het blikje zo heet zou worden. Bovendien is niet alles verloren. Laten we eens kijken.'

Ze hield het blikje dicht bij de kier waar het licht door kwam. In het blikje lag een flinke paarse glibberklont, maar aan de randen zat iets wat nog het meest leek op zachte, grijze klei.

'Springstof,' zei mama tevreden. 'Het is in elk geval gelukt.'

'Is het genoeg?' vroeg Michael. 'Genoeg om de deur op te blazen?'

'Dat weet ik niet,' zei mama. 'Dat hangt ervan af hoe dik de deur is. Als het een héél dun stalen plaatje is, zou het misschien kunnen lukken. Maar dat gaan we niet proberen. We blazen gewoon de scharnieren op. Als de deur niet meer aan de muur vastzit, kunnen we hem zo naar buiten duwen.'

Met de punt van haar balpen schraapte mijn moeder alle springstof uit het blikje. Voorzichtig plakte ze het tegen het onderste scharnier van de stalen deur.

'Zoek dekking, jongens,' fluisterde ze. We kropen weg achter een paar grote kratten. Mama trok een kartonnen doos aan reepjes en draaide er een lange sliert van. Het ene uiteinde van de sliert stak ze in de springstof; het andere uiteinde stak ze in brand met de laatste lucifer.

Langzaam kroop het vlammetje langs het karton naar de deur toe. Mama sprong haastig achter onze kratten.

'Schuif eens wat op, jongens!'

We schoven wat op. Ze wilde nog wat zeggen, maar Michael riep met een verstikte stem: 'Er... Er ligt hier iets! Ik stond ergens op. Iets warm en zachts, volgens mij is het een beest of zo.'

'Vast een rat,' griezelde ik.

'Nee,' zei Michael, 'daar is het te groot voor.'

'Ratten kunnen heel groot worden,' wist ik toevallig. 'Ik heb eens een boek gelezen over ratten die groter waren dan de grootste hond, en die in één hap een paard de strot konden doorbijten.'

'Dat was in een *boek*,' fluisterde mama streng. 'En helemaal het verkeerde soort boek, zo te horen. Wat jij toch allemaal leest... je kunt net zo goed naar tekenfilms kijken.'

'Het beweegt,' onderbrak Michael. 'Het ademt, en volgens mij...'

Op dat moment bereikte het vlammetje de springstof.

Whammm! Lawaai, vuurflits, rondvliegende stenen en gruis, gerinkel, gegil, licht en duisternis, paniek...

We werden lelijk door elkaar gegooid, de kratten waar we achter zaten, vlogen naar achteren en verpletterden ons bijna tegen de muur.

Het duurde even voordat ik weer wist wat onder en boven en voor en achter was. Alles deed pijn. Ergens vlakbij brabbelde iemand iets onverstaanbaars. Een kinderstemmetje, een kind, maar wie? Wat? Niet Michael, dat kon ik wel horen. Het sprak een vreemde, tsjirpende taal. Als een boom vol kwetterende spreeuwen.

Langzaam en pijnlijk stond ik op. Ik moest met mijn ogen knipperen tegen het licht; het was niet langer donker in de kamer.

De deur stond nog op z'n plek. Zelfs het scharnier was er niet afgevlogen. Maar in de muur ernaast was een groot gat. Stukken baksteen lagen verspreid over de vloer. Kisten en kratten waren versplinterd, dozen lagen aan flarden, flessen waren gebroken. Midden tussen die enorme rommel stond het kwetterende kind.

Ik kon mijn ogen niet geloven.

Het was een meisje. Een poedeltje-bloot meisje.

Maar dat was niet het ongelooflijke.

Het ongelooflijke was dit: het kind was van top tot teen oranje-rood. Als een vos.

'Mama! Michael!' fluisterde ik. 'Volgens mij hebben we het wat-dan-ook-beest gevonden.'

'Hrrm?' vroeg mama. Ze kwam overeind, nog wankeler dan ik, en keek daas om zich heen. 'Tister? Wiesdah?'

'Het beest,' zei ik opgewonden. 'We hadden allemaal ongelijk! Het was geen kat en geen aap, maar een vos was het *zeker* ook niet. Het was een kind, een kind zoals dit hier. Misschien wel zijzelf. Hallo,' zei ik tegen het kind, 'hoe heet jij?'

'Tjilp kwetter brabbel brabbel tjilp,' zei het kind.

'Oh,' zei ik. 'Mama, Michael, dit is Tjilp Kwetter Brabbel Brabbel Tjilp. Eh... vind je het erg als we je Kwetter noemen? Dat is korter en makkelijker en... Vind je het niet erg? Nee?'

'Brabbel tjilp kwetter twiettwiet twiet,' antwoordde het kind giechelend.

'Ik geloof niet dat ze het erg vindt,' vertaalde ik.

Michael kwam achter de resten van een krat vandaan en zei met een vies gezicht: 'Gatver! Een blote meid!'

'Ja,' zei mijn moeder, 'heel onfatsoenlijk. Daar gaan we eens gauw iets aan doen. Maar eerst heb ik zin in een lekker potje ontsnappen. Ik heb niet voor niks die deur opgeblazen. Doen jullie mee of gaan jullie liever de Mjamburgers in?'

Wij deden mee.

Tenminste, dat was de bedoeling.

Maar het gat in de muur was wel groot, maar niet groot genoeg voor mama. En ook niet voor Michael.

'Oké,' zuchtte ik, 'het kleine zusje knapt het wel weer op.' Ik wurmde mijn hoofd door het gat. Dat was niet bepaald een makkie: de ruwe randen van gebroken baksteen schuurden bijna mijn oren eraf. Met nog meer moeite duwde ik mijn linkerschouder door de opening. Dat leverde me een fraaie verzameling schaafwonden op. Mijn rechterschouder... helaas. Het hele

gat zat al vol met mijn nek en mijn linkerschouder. De rechter kon er ab-so-luut niet meer bij.

Ik trok mijn linkerschouder terug en perste mijn rechter naar buiten. Dat lukte, maar nu zat mijn linkerschouder weer klem. Ik probeerde van alles. Eerst mijn armen erdoor, eerst mijn voeten, linkerkant voor, rechterkant voor, opgerold als een balletje... het enige wat ik eraan overhield was een hoeveelheid schrammen, bulten en blauwe plekken waar elke verzamelaar jaloers op zou zijn.

'Sorry,' zei ik. 'Het gaat niet. Dat ellendige rotgat is net iets te klein. Of ik ben net iets te groot, dat kan ook. In ieder geval zullen we moeten wennen aan een toekomst als Mjamburger.'

Daar werden mama en Michael niet vrolijk van.

Ik ook niet.

Somber zaten we bij elkaar tussen de rommel. We hadden niks meer te zeggen.

Maar Kwetter wel. Die babbelde en brabbelde en wees op zichzelf. Ze maakte allerlei gebaren en keek heel blij.

Fijn voor haar.

Misschien wist ze niet wat ons boven het hoofd hing. Of ze dacht dat het haar niet zou gebeuren.

Nou, dacht ik, het zou me niks verbazen als jij óók door de Mjamburgers gaat, meid. Ik weet niet in welk land de kinderen oranje zijn, maar het is vast Snoet die je daar heeft weg gestolen. Om je te verkopen. Maar niemand wil een oranje meisje hebben, dus...

Ik hoop dat je van witte broodjes houdt. En van ketchup. Want misschien lig je vanavond al met een kledder ketchup tussen de twee helften van een wit broodje. Met sesamzaadjes.

Misschien kijkt ze daarom zo blij, dacht ik vals. Misschien is ze *dol* op witbrood met sesamzaadjes.

Maar ze had een hele goede reden om blij te zijn. Want ze was kleiner dan ik, en zo lenig en buigzaam dat ze werkelijk wel een

kat leek. Ze draaide haar nek en haar armen en schouders in zulke warrige bochten dat ik schele hoofdpijn kreeg door er alleen maar naar te kijken.

En floep, daar verdween ze door het gat in de muur. Zonder schrammen en bulten. Zonder het geringste beetje moeite.

Wij drie houterige reuzen keken er met open mond naar.

'Hoe flikte ze *dat*?' vroeg Michael.

'Kleine meisjes kunnen ook wel eens wat,' zei ik.

'Oh ja? Kan jij dat ook dan? Daarnet leek het er verdacht veel op dat je vast zat...'

'Zó klein ben ik nou ook weer niet. En misschien zit Kwetter wel op turnen. Weet ik veel.'

'Als ze op turnen zit,' zei mama, 'dan zit ze vast in het nationale team van haar land. Waar dat dan ook mag wezen.'

'Tja,' zei ik, 'ik denk niet dat we dáár ooit nog achter komen. Want zij is ervandoor gegaan, maar wij kunnen hier niet uit, dus...'

Er klonk een luid KA-LUNK, een schurend ieieiep... en de stalen deur zwaaide langzaam open.

In de deuropening stond Kwetter, met een trotse glimlach en fonkelende ogen. Ze boog als een goochelaar die net een moeilijke truc heeft gedaan en zei met heldere stem: 'Twiet blabber tjilp, broedeldjoe!'

'Dank je wel,' zei mama.

'Kwetter?' zei Kwetter.

'Thank you,' zei mama, want dat is Engels voor dank je wel.

'Kwetter?' herhaalde Kwetter.

Mama zei dank je wel in het Frans, Duits en Spaans. Kwetter leek er niets van te begrijpen.

Gelukkig kent mijn moeder nog zevenentwintig andere talen. Jammer genoeg kent ze in al die talen maar een zinnetje, en dat is: "Het spijt mij, ik versta uw taal niet, is er hier iemand die Engels spreekt?" Volgens mijn moeder is dat het belangrijkste zin-

netje, tenminste, als je zelf Engels spreekt. Anders heb je er niks aan natuurlijk. En dan nog. Papa vertelt altijd met veel plezier het verhaal van die keer dat hij en mama, verdwaald op vakantie, terechtkwamen in een klein cafeetje op het Hongaarse platteland. Hongaarse dronkenlappen, tandeloze oude boertjes en gespierde knechten met opgerolde mouwen keken hen nieuwsgierig aan. Mijn moeder vroeg in het Hongaars of er misschien iemand in de buurt was die Engels sprak. De barman knikte enthousiast: hij wist wel iemand die Engels sprak. En hij wees op mijn vader.

Iedereen lag dubbel van het lachen. Behalve mijn moeder.

Mama probeerde al haar zevenentwintig zinnetjes uit op Kwetter. Zonder succes.

'Mooi,' zei mijn moeder, 'nou weten we al een hele hoop talen die ze *niet* spreekt. Da's al heel wat. De rest zoeken we thuis wel uit.'

'Over thuis gesproken,' zei Michael, 'zouden we niet eens verder gaan met ontsnappen? Wie weet wanneer die schurken terugkomen.'

Precies op dat moment blafte er in de verte een hond. Het was een ziekelijk, rochelend, hijgend geblaf.

Het was Snoesje.

# 12

# DE KELDERS
# VAN DE FABRIEK

'Nu wordt het interessant,' zei mama. 'Nu gaan we namelijk ontdekken of we *precies op tijd* zijn ontsnapt of juist *net iets te laat.*
Wat denken jullie?'

'Ik denk dat het niet verstandig is om daar nu over te gaan zitten
praten,' zei ik.

'Ik denk dat Gaby gelijk heeft,' zei Michael.

'Ik eigenlijk ook,' gaf mama toe. 'Zullen we dan maar vertrekken? Hebben we alles? Moet er nog iemand plassen?'

'WAT?' riepen Michael en ik.

'Of er nog iemand moet plassen,' zei mama. 'Mama's vragen

dat altijd voordat ze vertrekken, is je dat nooit opgevallen? Dat hoort zo. Trouwens, we doen het vanzelf. Zodra we ons eerste kind krijgen, beginnen we ermee en we houden er nooit meer mee op. Ook niet als jullie groot zijn; wen er maar alvast aan. Maar nu is het niet zo belangrijk. We gaan meteen. Eh... maar waarheen?'

'Volgens mij heeft Kwetter een idee,' wees ik.

Kwetter stond op en neer te springen in de deuropening. Ze zwaaide druk met haar armen, ze wenkte en wees alle kanten op en slaakte onverstaanbare, haastige kreetjes.

We besloten haar te volgen. Wat moesten we anders? Ze leidde ons de donkere kamer uit, een wit betegelde gang in. Daarna kwamen we door fabriekshallen met grote machines en lopende banden, witte gangen, een luxe kantoor met zachte stoelen (waarschijnlijk voor meneer Smek), een armoedig snertkantoortje met houten stoelen (waarschijnlijk *niet* voor meneer Smek), nog meer fabriekshallen, stalen trappen op en af...

'Kwetter schijnt hier de weg te kennen,' hijgde Michael. 'Volgens mij is ze hier eerder geweest.'

'Weet je nog?' zei mama. 'De vergadering die we hebben afgeluisterd? Snoet en Dogger hadden het over een vluchteling, die al een paar keer ontsnapt was, en die morgen door de Mjamburgers zou gaan.'

'Nee,' zei Michael, 'dat weet ik niet meer.'

'Ik ook niet,' zei ik.

'Nou,' zei mama, 'ik wel. En volgens mij ging dat over Kwetter. Dáárom zagen jullie haar in de buurt van de bank, en de Mjamburgerbar, en Doggers kippenhok. Denk ik.'

'Tjee mam,' zei Michael. 'Volgens mij heb je gelijk.'

'Natuurlijk heb ik gelijk. Dat is m'n vak, hè?'

Intussen had Kwetter ons de ene na de andere trap af geleid, tot in de kelder.

Daar was een raampje.

Een open raampje.

Kwetter klauterde er doorheen, vlug als kwikzilver. Daarna stak ze haar hoofd weer naar binnen en vroeg 'Kwiekel?' Waarschijnlijk bedoelde ze: komen jullie?

Domme vraag.

Natuurlijk niet.

Het was een piepklein rotraampje. Daar kon je heel makkelijk door ontsnappen - tenminste, als je zo lenig was als een kat, en bovendien graatmager en een volle kop kleiner dan ik. Nou, ik ben om te beginnen al geen kop kleiner dan ik. Ik ben precies even groot als ik. En mama en Michael zijn weliswaar niet precies even groot als ik, maar ze zijn zeker niet kleiner. Dus.

'Daar passen we niet door, stom kalf,' snauwde Michael.

'Hoho,' zei mama, 'Kwetter heeft erg haar best voor ons gedaan. Je hoeft haar niet af te snauwen, alleen maar omdat ze een stom kalf is.'

Ik haalde mijn schouders op. 'Ze verstaat hem toch niet. Want ze is een stom kalf namelijk.'

'Ze begrijpt misschien niet wát hij zegt,' zei mama, 'maar de manier waaróp hij het zei, die begrijpt ze heus wel.' Met een vriendelijke glimlach keek ze naar Kwetter en wees van het minuscule raampje naar zichzelf. 'Ik pas daar niet door,' zei ze op lieve toon, 'stom kalf. Maar bedankt dat je ons wilde helpen.'

Kwetter keek van mijn moeder naar het raampje en krabde zich achter de oren. Nu pas leek ze te begrijpen hoe onmogelijk haar plan was geweest. Ze keek zo ongelukkig dat zelfs Michael medelijden met haar kreeg.

'Jij kan er ook niks aan doen,' mompelde hij knorrig.

'Zullen we onderhand eens op zoek gaan naar een andere uitgang?' stelde ik voor. 'Als ze ons vinden is alle moeite voor niks geweest.'

'Ja. Dag Kwetter, bedankt voor de hulp! En zorg dat je die schurken uit handen blijft!'

Maar Kwetter zorgde niks. Toen ze zag dat wij wegliepen van het raampje... ja, hoe moet je dat noemen? Iemand die ontsnapt is en dan weer naar binnen gaat, het gevaar tegemoet? Ze ont-ontsnapte? Ze hersnapte? Wedersnappen?

In ieder geval, ze trok een dapper gezicht en klauterde weer te-rug naar binnen.

Met ons vieren zochten we een weg door de kelders van de fa-briek. Kwetter liep voorop, maar dit keer leek ze een stuk min-der zeker van haar zaak. Op splitsingen stond ze te aarzelen en te piekeren - links- of rechtsaf? - en soms keerde ze halverwege een gang op haar schreden terug.

Na een tijdje hoorden we het geblaf van Snoesje, en de stem van Dogger die riep: 'Ja! Snoesje heeft ze geroken! De kelder! Ze zit-ten in de kelder!'

En daar zaten we. Als ratten in de val.

Maar de kelder was groot. Er waren gangen en kamers, ma-chines en buizen. We konden onze achtervolgers nog wel even vóórblijven.

Plotseling klaarde het gezicht van Kwetter helemaal op. Met trefzekere passen leidde ze ons door een lange gang. Aan het einde was een ladder en bovenaan de ladder was een luikje. En klein luikje. Te klein?

Dat deed er niet toe. Want het zat dicht. Met een groot, dik hang-slot.

Kwetter wees op het luikje en daarna naar ons. 'Boemmm!' riep ze, en ze gooide haar handen in de lucht om duidelijk te maken hoe groot de boem moest zijn.

'Ze wil dat je dat luikje opblaast, mam,' zei Michael.

'Dat wil ik zelf ook wel,' ze mama duister. Ze schudde met haar hoofd terwijl ze tegen Kwetter zei: 'We hebben geen springstof. Zonder springstof geen boem, begrijp je. Niet boem.'

'Boemmm,' herhaalde Kwetter blij.

'Dat is geloof ik het enige woord dat ze begrepen heeft uit je ver-

haal,' zei ik moedeloos. 'En het is niet eens een echt woord.'

'*Niet* boem,' herhaalde mijn moeder met een zucht. '*Niet* boem.'

'*Wel* boem,' zei een stem aan het begin van de gang. 'Tenminste... ik heb, zoals ik al zei, geen idee wat deze knaldemper precies voor effect zal hebben...' Het was meneer Bengbuk, en hij had zijn bazooka bij zich.

Naast hem stonden Smek, Snoet, Dogger en Snoesje.

Meneer Bengbuk richtte het eigenaardige wapen op ons en zei vrolijk: 'Boem? Niet boem? Daar gaan we nu eindelijk achter komen.'

'Nee,' gilde Smek. 'Ben je nu helemaal bedonderd? Straks maak je mijn fabriek stuk!'

'Oei,' riep Dogger, 'en die is gebouwd met *mijn* geld! Niet schieten, Bengbuk!'

'Dat is dan jammer,' zei Snoet. 'Beter een kapotte fabriek dan dat ze ontsnappen. Als zij aan de krant gaan vertellen wat voor Mjamburgers hier gemaakt worden, hebben we pas *echt* een probleem.'

'Da's waar,' gromde Dogger. 'Laat ze niet ontsnappen, Bengbuk!'

'Ontsnappen?' Smek lachte grimmig. 'Wees daar maar niet bang voor, heren. Ik ken mijn fabriek op mijn duimpje. Deze gang loopt hartstikke dood. Het luik is op slot. Ze kunnen onmogelijk ontsnappen.'

'Oh nee?' vroeg Bengbuk schamper. 'Wat zijn ze nu dan aan het doen?'

Wij waren aan het ontsnappen. Want de gang liep helemaal niet dood.

Je kon een deur door en dan kwam je in een grote lege kamer met witte tegels. Aan het einde van die kamer was een soort van gang, die schuin omhoog liep. Omhoog! Naar de vrijheid!

We renden zo hard als we konden. Achter ons hoorden we het geblaf van Snoesje, en de stemmen van de vier heren. Wat ze

precies zeiden konden we niet verstaan, maar heel even had ik het idee dat ze ergens om aan het lachen waren.

Wat raar, dacht ik nog. Wat zou er zo grappig zijn?

Toen begon de vloer te bewegen.

Het was geen vloer. Het was een lopende band. Hij voerde ons naar boven, vanwaar ons een onheilspellend gezoem tegemoet klonk. Het zoemen werd luider, en al snel kwam er een akelig knersen bij.

'Dit bevalt me niet,' zei mama. 'Dit bevalt me helemaal niks. Waar brengt die band ons naar toe?'

Hij bracht ons naar het einde van de gang en daar kwakte hij ons - klabaf! - op een andere band. Die sleepte ons mee naar rechts, een tweede gangetje in.

Een heel kort gangetje. Daarachter zagen we het einde van onze reis door de ingewanden van de fabriek: messen. Gigantische ronddraaiende messen die op allerlei ingewikkelde manieren in elkaar grepen, zodat je er nog geen nagelrandje tussen kon steken zonder dat het op vijf verschillende manieren werd stuk-gesneden, vermorzeld, verpletterd, vermalen en fijngehakt.

Kwetter gilde.

'Terug!' riep mama. 'Omdraaien! Nu!'

Omdraaien? Hadden we allang gedaan, natuurlijk. Volwassenen denken vaak dat kinderen compleet dom en geschift zijn, alleen maar omdat we wel eens vergeten uit te kijken bij het overste-ken. Nou, dat hebben jullie dan mooi mis, volwassenen!

We renden bij de messen vandaan, zo snel als onze benen ons dragen komen. Dat was niet erg snel. We renden wel *hard*, maar we kwamen nauwelijks vooruit. De lopende band duwde ons bij elke stap weer een eindje terug.

Bovendien hoorden we even later het geluid van verschuivende tandwieltjes, kggrrr-klunk, en de band begon sneller te lopen. Elke centimeter vooruit werd een worsteling van jewelste.

Het duurde wel vijf minuten voor we de hoek hadden bereikt.

90

En daarna moesten we nog dat hele eind naar beneden.

Eh... waarom eigenlijk?

'Mama,' hijgde ik, 'waarom rennen we naar beneden? Daar staan Dogger en zijn vrienden ons op te wachten. Die schoppen ons toch net zo hard weer terug?'

'Lieve kind,' zei mama, 'daar heb je gelijk in. Maar alles heeft zijn tijd. Er is een tijd om gelijk te hebben, en er is ook een tijd om te rennen. Voor het geval je het nog niet gemerkt had: dit is een tijd om te rennen.'

'Dat slaat nergens op,' pufte Michael.

'Er is een tijd om ergens op te slaan,' zei mama, 'en er is ook een tijd om te rennen.'

'Oh.' Rennen dus. Tien minuten... een kwartier...

Kggrrr-klunk! De band ging weer sneller.

We waren onderhand doodmoe, zelfs Kwetter die duidelijk het sterkst was van ons allemaal. Ze had zelfs af en toe de pas ingehouden om niet te ver voor ons uit te lopen. Maar nu moest ook zij haar uiterste best doen om alleen maar op haar plaats te blijven staan.

Kggrrr-klunk! Nog weer sneller. Nu begon de band ons naar achteren te duwen, zelfs als we uit volle macht renden.

Steeds verder duwde de band ons naar achteren - klabaf! - daar gingen we de hoek weer om. Steeds dichter bij de messen kwamen we, steeds dichter... steeds vermoeider. Michael en ik begonnen te wankelen. Zelfs mama kon nauwelijks meer overeind blijven. Alleen Kwetter leek nog redelijk fris.

Uiteindelijk gebeurde het onvermijdelijke: ik struikelde. Languit viel ik op de lopende band en ik was te moe om op te staan. Hulpeloos werd ik meegevoerd naar de draaiende messen.

# 13

# DE VRESELIJKE
# VLEESHAKKER

Ik werd niet tot Mjamburger gehakt - maar dat had je waarschijnlijk al geraden. Want als ik was verburgerd, had ik dit alles niet kunnen vertellen. (Als iemand je ooit vertelt dat hij tot gehakt is gemalen - *niet* geloven!)

Ik werd bij de kraag van mijn T-shirt gegrepen en weggesleurd, vlak voordat ik in de muil van de monsterlijke machine zou verdwijnen.

Ik mompelde iets van 'Mama,' meer kwam er niet uit, maar het was niet mama die mij gered had.

Het was Kwetter. Niet te geloven, hoe sterk dat kind was. Ze had haar voeten tegen de ene muur van de gang gezet en haar schouders tegen de andere. Zo kon ze zich, door zich met veel kracht uit te strekken, vastklemmen tussen de muren. Als de stang van een douchegordijn. De lopende band zoefde machteloos onder haar voorbij.

Met één van haar kleine oranje handjes hield ze de kraag van mijn T-shirt vast.

Ik krabbelde struikel-de-struikel overeind en probeerde haar na te doen. Met een beetje proberen lukte het wel, maar ik kon dit onmogelijk urenlang volhouden. Zelfs geen minuten.

Mama en Michael volgden mijn voorbeeld. Michael viel twee keer naar beneden en bijna was hij in de Vreselijke Vleeshakker beland, maar met behulp van mama en Kwetter wist ook hij zich tussen de muren te klemmen.

Daar hingen we dan, met ons vieren.

Kwetter zette het op een babbelen. Ze praatte maar en praatte maar en we verstonden er niks van. Ze keek een beetje verdrietig. Wat had ze ook voor reden om vrolijk te zijn?

Maar Michael bekeek het van de zonnige kant: 'Dit is eigenlijk helemaal niet zo slecht, dit hangen. Het lijkt wel of je voor "hangen" hele andere spieren nodig hebt dan voor "lopen". En mijn Loopspieren waren doodmoe, maar mijn Hangers kunnen er nog wel even tegen.'

'Jij hebt makkelijk praten,' zei mama. 'Voor jullie kinderen is de gang precies breed genoeg. Maar ik ben veel langer dan jullie, ik pas er niet overdwars in. Ik moet me in rare, pijnlijke bochten wringen om te blijven hangen. Dat zal ik niet lang volhou-...'

'Mama!' gilde ik, maar dat was nergens voor nodig want ze hing nog gewoon op haar plek.

'Ssssst,' deed ze. 'Horen jullie dat ook?'

Wij luisterden met ingehouden adem. We hoorden helemaal niets. Nog niet de geringste ademtocht, maar dat klopte want die hielden we dus in.

'Ik hoor niks,' fluisterde ik.

'Precies,' fluisterde mama terug. 'Geen gezoem van de lopende band. Geen gekners van de Vreselijke Vleeshakker. Niks. De machine staat stil.'

Inderdaad. De lopende band liep niet, de gruwelijk gekartelde messen draaiden niet. Wat was er aan de hand?

Wat er aan de hand was (maar dat konden wij niet weten) was dat er een soort weegschaal in de lopende band was ingebouwd. Door die weegschaal kon iemand beneden, bij het bedieningspaneel, precies zien hoeveel kilo vlees er op de lopende band lag.

Smek, die in de kelder naar dat paneel stond te kijken, zag dat er steeds minder kilo's op de band lagen. Dat kwam doordat wij ons een voor een tussen de muren vastklemden, maar dat kon *hij* weer niet weten. Hij dacht dat we gewoon door de Vreselijke Vleeshakker waren opgeslokt zoals alle koeien en kippen en kinderen vóór ons. Met een tevreden klik zette hij de machine uit en zei: 'Heren, wij kunnen tevreden zijn. Het spionnentuig is tot gehakt gemalen. Vanavond zullen zij, in SmikSmek-restaurants door het hele land, door mijn gasten worden opgepeuzeld met ketchup en uitjes. Zullen we nog even gaan kijken hoe ze tot schijfjes worden gestampt en in plastic zakjes gedaan?'

'Waarom niet,' zei Snoet.

'Lachen,' zei Bengbuk.

'Ik niet,' zei Dogger. 'Ik heb al genoeg tijd verspild aan die ellendelingen. Tijd is geld, mijne heren!'

'Zoals je wilt,' zei Smek. 'Maar zou Snoesje niet een paar van die lekkere spionnenburgers lusten?'

'Gratis?' vroeg meneer Dogger likkebaardend.

'Natuurlijk,' glimlachte Smek.

'Dan kunnen we misschien... even... als het niet te lang duurt...'

'Loopt u maar mee. We komen er langs op weg naar de uitgang.'
En zo vertrokken ze.

Daardoor zagen zij niet dat er, even later, opeens -pling- het getal 67 op het paneel verscheen. 67 kilo. Die 67 kilo, dat was mijn moeder. Ze was terug op de band gaan staan en liep langzaam in de richting van de Vleeshakker.

'Wat ga je doen, mam?' piepte ik.

'Ik ga naar die machine kijken. Ik wil weten wat er aan de hand is.'

'Maar als-ie nou weer begint? Terwijl jij er vlakbij staat?'

'Dat zien we dan wel weer.' Ze bekeek de vlijmscherpe messen nauwkeurig. Nu de machine stilstond, waren ze een eindje uit elkaar geweken; tussen de messen zat nu een duistere holte, waar mijn moeder nieuwsgierig in tuurde. 'Hmmm,' deed ze. 'Hmmm.' Daarna stak ze doodkalm haar arm in het gat.

'Mama!' gilde ik. 'Ben je gek of zo? Niet doen!'

'Niet zo krijsen, lieverd,' zei mama. 'Deze messen zijn scherp. Zelfs nu de boel stilstaat, is het gevaarlijk. Als ik een onbeheerste beweging maak, ligt mijn arm eraf. Dus wil je me niet aan het schrikken maken?'

Intussen waren de vier schurken naar de andere kant van de machine gelopen. Daar was een grote bak, waarin de Vreselijke Vleeshakker al zijn gehakt kon uitspugen.

De grote bak was leeg.

Meneer Smek werd bleek om de neus. 'Dit... dit kan niet,' stamelde hij. 'Ze hadden alle vier al vermalen moeten zijn! De Vleeshakker is... ik... wacht hier even, heren, ik zal hem nog eens aanzetten. Gewoon voor de zekerheid.' Hij holde terug naar de kelder.

Mijn moeder haalde haar arm uit de Vleeshakker.

'Hij is niet stuk, volgens mij,' zei ze. 'Hij staat gewoon uit.

Michael, dat jungledoosje van jou, zit daar toevallig ook een schroevendraaier in?'

'Wat denk je zelf, mam? Een schroevendraaier. Wat moet je in de jungle met een schroevendraaier? Een wurgslang uit elkaar halen? Kapotte olifant repareren?'

'Ach ja, je hebt gelijk,' zuchtte ze.

'Maar op mijn zakmes zit er natuurlijk wél een.'

Ze zuchtte nog dieper. 'Nou, geef me die dan maar.'

'Alsjeblieft. Wat wou je d'r eigenlijk mee doen?'

Mama knikte naar de Vreselijke Vleeshakker. 'Als-ie niet stuk is,' zei ze grimmig, 'dan máák ik 'm stuk.'

Ze klikte de schroevendraaier uit het zakmes en stak haar hand weer in het binnenwerk van het akelige apparaat.

Smek was de kelder binnengestormd en stond hijgend naar het paneel te staren. Wat hij zag drong niet echt tot hem door; hij was buiten adem van het rennen. Hij mocht dan mager zijn, mager is niet hetzelfde als gezond. Smek sliep slecht, hij maakte zich dag en nacht zorgen. Was er geen manier om nóg goedkopere Mjamburgers te maken? Hoe zat het met de andere Mjamburgerbars, die van BurgerPrins en Flopper en alle anderen? Verkochten die méér Mjamburgers dan hij? Hele nachten lang ijsbeerde hij door zijn kantoor, met een grote beker gitzwarte koffie en de ene sigaret na de andere.

Druk had hij het, verschrikkelijk druk, hij zei het tegen iedereen en hij geloofde het zelf ook. Maar hoeveel haast hij ook had, je zag hem nooit rennen. Als hij haast had, belde hij een taxi en ging dan nagelbijtend zitten wachten tot hij werd opgehaald. Rennen had hij al jaren niet meer gedaan.

Daarom klonk zijn adem nu net zo raspend en rochelend als die van Snoesje, en hij zag flitsen en bollen voor zijn ogen.

Het duurde even voor hij weer gewoon kon kijken.

'67,' las hij. Wat-wat-wat was dat? 67? Waar kwamen die 67 kilo

opeens vandaan? Was er iemand ontsnapt aan de Vreselijke Vleeshakker? Onmogelijk! On-mo-ge-lijk!

Woedend beukte zijn hand op de grote rode knop die het apparaat weer in werking stelde. Daar. Dat zou die brutale 67 kilo's leren.

Met een kgggrr-klunk! kwam de Vreselijke Vleeshakker weer tot leven. De lopende band begon te zoemen, en als je heel goed luisterde kon je in de verte het knersen van de kartelmessen horen.

En een afschuwelijke gil.

Dat was mama.


Mama had een tijdje met de schroevendraaier in het binnenste van de machine staan peuteren. Ze keek ernstig, want het was een heel precies werkje. Één verkeerde beweging en de messen zouden diep in haar arm snijden.

Na een tijdje zei ze 'Klaar!' en ze begon haar arm terug te trekken.

En precies op dat moment: kgggrr-klunk!

Mama haalde zo snel mogelijk haar arm naar buiten, maar helemaal op tijd was ze niet. Tjak, daar ging het topje van haar middelvinger.

Ze gilde alsof ze een biggetje was, waar boer Perskot net het staartje van had afgeknipt.

En het gevaar was nog niet voorbij, want de lopende band bracht haar naar de Vleeshakker toe. Tijd om zich om te draaien had ze niet meer. Ze liet zich achterover vallen en half kruipend, half rollend probeerde ze de bij de messen vandaan te blijven.

Kwetter liet zich zonder aarzelen op de band vallen, greep mijn moeder bij de elleboog en probeerde haar te helpen. Maar mama was daas van de pijn en ze spartelde alle kanten op. Er was geen redden aan.

Plotseling klonk er een heel nieuw geluid uit de Vreselijke

97

Vleeshakker. Skrieieie-kaloenk!

Mama had een paar van de draaiende messen losgeschroefd, en nu de zaak begon te draaien schoven die messen langzaam maar zeker van hun plek. En de machine stond heel nauwkeurig afgesteld, er was nergens ook maar een halve millimeter over, dus de losse messen botsten al heel snel tegen andere messen aan.

Die konden daar niet tegen.

Messen verbogen, braken af, draaiden de verkeerde kant op, ondersteboven achterstevoren rats rats rats heen en weer skrieloenk naar boven naar beneden...

Naar beneden?

Naar beneden ja.

Voor onze stomverbaasde ogen begonnen de vlijmscherpe messen de vloer aan reepjes te snijden. Eerst de lopende band, flif flaf, daarna de rubberen rollers eronder en ten slotte begonnen de messen vrolijk aan de tegelvloer.

'Zoek dekking!' riep ik. We drukten ons plat tegen de lopende band - die nu natuurlijk niet meer liep - de stilstaande band dus eigenlijk. De liggende band. Al snel begonnen de versplinterde stukken tegel in het rond vliegen, gevolgd door brokjes beton, sommige wel zo groot als mijn vuist. Al snel waren we van top tot teen beschramd en bekrast.

Na een tijdje hield de regen van stenen op. Er klonk een geluid als een auto-ongeluk.

Voorzichtig keken we om ons heen.

De messen waren nergens meer te zien. Op de plek van de Vleeshakker was er alleen nog een groot gat in de vloer.

# 14

# DE NIEUWE KNALHAPPER PLUS

We keken met z'n vieren door het gat naar beneden.

'Blieker djabi dja,' zei Kwetter.

'Zou best eens kunnen,' zei ik. Misschien had ze wel gelijk; het hing er maar helemaal vanaf wat ze precies gezegd had.

De Vleeshakker was dwars door de vloer gegaan en te pletter gevallen op de vloer van de ondergelegen verdieping. Daar lag het vreselijke ding nu, een dampende hoop staal, verbogen en gescheurd, op een zachte blauwe vloerbedekking.

'Wat vind jij, mama?' vroeg ik.

'Auw,' zei mama. Ze staarde naar de plaats waar daarnet nog haar vingertopje had gezeten. 'Auw auw auwauwauw.'

'Nou,' zei ik, 'wat doen we? Gaan we door dit gat naar beneden, of niet?'

'Auw,' antwoordde mama. Ze bleef maar naar haar vingertopje staren. Dat er dus niet was. Dat arme topje lag nu waarschijnlijk in een grote bak, te wachten tot het verwerkt zou worden tot de kleinste Mjamburger aller tijden.

Uit het stukje vinger dat er nog wel was kwam bloed. Behoorlijk wat bloed, eigenlijk. Ik werd opeens een klein beetje misselijk. 'Michael,' zei ik, 'mama heeft bloed.'

'Ja,' zei hij bleekjes. 'Dat was mij ook al opgevallen. Behoorlijk wat bloed, eigenlijk. Ik ben opeens een klein beetje...'

'Ja,' slikte ik. 'Ik ook.'

Kwetter trok aan de mouw van mijn T-shirt. Ze trok heel had. Zo hard dat ik omviel.

'Hé!' riep ik. Maar ze trok gewoon door. Steeds harder, met twee handen, en rrrats daar ging m'n mouw. 'Hé!' riep ik weer, maar ze trok zich niks van mij aan en scheurde zorgvuldig mijn hele mouw van mijn schouder. 'Héé!'

Met een tevreden gezicht scheurde ze mijn mouw in reepjes en liep naar mama. Toen begreep ik het pas: ze ging de vinger verbinden!

Ze was er niet zo heel goed in, volgens mij. Ze deed maar wat, het werd helemaal niet netjes en strak. Het zag eruit alsof mama een soort wiebelende tennisbal aan het einde van haar vinger had. Een tennisbal die langzaam lichtroze kleurde, want daarbinnen ging het bloeden gewoon door, maar het ging tenminste niet meer zo hard. En daar ging het om.

Mama zat een beetje verbaasd naar haar tennisbal te staren.

'Kom,' zei ik. 'We gaan.' Ik wees naar het gat.

'Pjoet!' riep Kwetter, en zonder op of om te kijken sprong ze door het gat in de vloer.

'Stomme idioot,' riep Michael geschrokken. Het was een sprong van minstens twee meter vijftig diep. We zagen haar al liggen, met twee gebroken pootjes tussen de vlijmscherpe resten van de Vleeshakker. Wie weet wat er nog allemaal afgesneden was.

Voorzichtig keken we het gat in.

'Kwiekel!' Vrolijk stond ze daarbeneden te wenken. Of we nog kwamen.

Ja, natuurlijk, maar wij waren geen turnkampioenen. Mama klemde zich, zo goed en zo kwaad als het ging met haar tennisbal, vast aan de rand van het gat. Heel voorzichtig liet ze zich naar beneden zakken; het laatste stuk was het vallen geblazen. Ze kwam keurig netjes op haar voeten neer. Kwetter klapte in haar handen en riep 'Plief, plief!'

Daarna waren Michael en ik aan de beurt. We lieten ons voorzichtig zakken, net als mama, maar wij hoefden niet te vallen op 't laatst: mama ving ons op.

Ze zette ons neer op de vloer van een ruime hal, met blauw tapijt zo zacht dat het leek of je zweefde. Er was een balie van duur hout, met wel twintig telefoons, er was een schilderij van meneer Smek in een gouden lijst, er waren brede trappen omhoog en omlaag de fabriek in en overal zag je de grote gouden S van de SmikSmek Mjamburgers. Maar daar letten wij allemaal niet zo op. Wij zagen maar één ding: de grote glazen deuren waarachter de zon en de blauwe lucht en de vrijheid ons toelachten.

Tot onze blije verbazing zaten de glazen deuren niet eens op slot. Ze gleden vriendelijk opzij zodra wij in de buurt kwamen.

'Moet er nog iemand plassen?'

'Ma-ham!'

'Sorry.'

Stonden we zomaar ineens buiten.

Het was ochtend, heel vroeg, de grote parkeerplaats van de fabriek was nog helemaal leeg. Er stond alleen de tank van Bengbuk.

'Denken jullie wat ik denk?' vroeg Michael.

'Nee,' zei ik. 'Want *ik* denk: laten we snel met mama naar de eerste hulp gaan. En *jij* denkt: laten we die tank inpikken en er lekker mee door de stad gaan crossen.'

'Hoe wist je wat ik dacht?' vroeg Michael een beetje verontwaardigd.

'Je bent een jongetje. Er staat hier een onbeheerde tank. Een plus een is nog altijd twee, hoor.'

'Oh. Nou, wat zullen we doen? De eerste hulp of lekker crossen?'

'Kijk eens naar mama?' zei ik.

Mama zag heel erg bleek. Daas en duizelig keek ze uit haar ogen.

'Okeee,' zuchtte Michael. 'De eerste hulp. Jij je zin.'

'Hoho,' mompelde mama zwakjes. 'We gaan zo niet de straat op.'

'Hoezo?'

Mama wees naar Kwetter.

'Je bedoelt dat ze oranje is? Dat dat opvalt?'

Mama schudde haar hoofd. 'Ik bedoel dat ze geen kleren aan heeft. Dat dat onfatsoenlijk is.'

'Ma-ham!' kreunden wij. 'Je bloedt bijna dood! En jij maakt je druk over de blote kont van Kwetter?'

'Dood gaan we allemaal,' zei mama. 'Daar is niks aan te doen. Maar die kont, die is makkelijk te verhelpen. Michael, trek je broek uit.'

'Wat!?'

'Gaby, T-shirt uit.'

'Wat!?'

'Schiet op jongens, we hebben geen uren de tijd.'

Ik trok mijn T-shirt uit. Wat kon het mij ook eigenlijk schelen? De mouw was er toch al af. Trouwens, ik had er nog een hemmetje onder dus voor gek liep ik niet.

Michael wel, want die had zijn onderbroek met brandweerwagens aan. Zo kinderachtig!

Daar stonden we dan, half in ons ondergoed, en wat denk je? Kwetter wilde onze kleren niet aan! Ze worstelde en spartelde en

piepte, maar mama was onvermurwbaar.

'Schiet op,' zei ze, 'ondankbaar nest.' Ze zei het in het Engels en het Frans en het Duits, waar niemand iets aan had, maar je moet het in ieder geval proberen, of niet? 'Je *moet* iets aan je bips, meidje. We zijn hier niet in Boegoe-Boegoe.'

Plotseling begon het gezichtje van Kwetter te stralen. 'Boegoe-Boegoe!' riep ze blij, 'Boegoe-Boegoe!' Ze pakte mijn moeders handen vast en sprong heen en weer; haar voetjes deden een onbegrijpelijk dansje. Ze bleef maar juichen van 'Boegoe-Boegoe!' en huilde dikke tranen van plezier.

'Aha,' zei mama. 'Ik geloof warempel dat we per ongeluk ontdekt hebben waar Kwetter vandaan komt.'

'Bedoel je...?' vroeg ik.

Mama knikte. 'Ik denk dat we hier te maken hebben met een heus Boegoe-Boegoeneesje.'

'Boegoe-Boegoe!' jubelde Kwetter.

'Maar waar ze ook vandaan komt, we zijn hier in Nederland en die broek gaat aan.'

'Ach,' zei Michael, 'als ze nou niet wil... *ik* wil 'm wel hoor.'

Op dat moment hoorden we een inmiddels overbekend geluid.

Het hijgende, reutelende geblaf van Snoesje.

'Ik begin zo langzaamaan een hekel aan dat beest te krijgen,' zei Michael. 'Ik bedoel: ik had al een hekel, maar het is nu echt een gigantische gruwelijke rothekel.'

'Heb ik ook,' knikte ik.

'Anders ik wel,' murmelde mama. 'Er komt een dag dat ik dat beest gewoon opblaas.'

Achter de glazen deuren was een hoop geren en gedoe en geroep van 'Daar zijn ze!' 'Schiet ze overhoop!' en 'Pas op mijn glazen deuren!'

Ik sprong boven op de tank en trok het luikje open. 'Hierin, jongens!'

Kwetter was met één sprong door het luikje heen, maar mama

103

was warrig en slap en moest door Michael en mij gesleurd en geduwd worden. We kiepten haar door het luik alsof ze een zak aardappelen was en sprongen haar haastig achterna. Klap. Luikje dicht. Veilig.

Hoewel...?

'Stom!' riep Michael wanhopig. 'Stom, stom, stommeling die ik ben!'

'Wat is er?' vroeg ik. 'Wat heb je nou weer voor doms gedaan?'

'Naar *jou* geluisterd,' kreunde Michael. 'Naar een *meisje*. Hoe kon ik zo dom zijn? Het was de paniek, dát was het natuurlijk...'

'Nou,' snoof ik, 'dankzij dit meisje zitten we wel mooi veilig.'

'We zitten helemaal niet veilig. Dat bedoel ik nou juist! Meisjes weten niks van schieten en zo. Bengbuk heeft een bazooka. Weet je waar die voor gemaakt zijn? Om door tanks heen te knallen! We zitten hier als ratten in de val...'

Oh. Dat wist ik inderdaad niet. Één-nul voor de jongens. Met een ijzige klont van angst in mijn maag keek ik door het piepkleine raampje van de tank. Daar, op de stoep voor de fabriek, stonden de vier ellendelingen. Smek, Snoet en Dogger stonden woest te schreeuwen tegen Bengbuk. Ik kon niet horen wat ze zeiden, maar ze wezen naar de bazooka en naar de tank en ik kon het wel raden.

Bengbuk haalde zijn schouders op.

Hij maakte geen aanstalten om te gaan schieten.

Wilde hij zijn eigen tank niet beschadigen?

'Moet je kijken,' zei Michael opeens. Hij hield een foldertje voor mijn neus.

DE NIEUWE KNALHAPPER PLUS,

stond er. Er stond een foto bij van precies de tank waar we nu in zaten. Op de achterkant stond een reclametekst:

*Kent u dat?*
*Hoe er altijd, net als je lekker*
*dood en verderf aan het zaaien bent*

*vanuit je veilige tankje, weer zo'n vuilak aankomt*
*met een bazooka? Boem! Weg tankje!*
*Dan komen plotseling dood en verderf*
*de verkeerde kant op: de jouwe!*
*Gelukkig is er nu de nieuwe Knalhapper Plus.*
*De Knalhapper lust bazooka's rauw!*
*Anti-tank-granaten? Die slikt hij*
*moeiteloos en zonder kauwen!*
*De nieuwe Knalhapper Plus:*
*een moderne krijgsmacht kan niet zonder!*
*Tijdelijk bij de aanschaf van tien Knalhappers*
*een fraaie sleutelhanger cadeau!*

Hahahaa! Pure mazzel, maar toch: één-één voor de meisjes.
Michael klopte tevreden op de wand.
'Wat vind jij?' vroeg hij. 'Zullen we met deze rakker naar de eerste hulp rijden?'
'Tuurlijk,' zei ik. 'Mama, wil jij sturen?'
Mama luisterde niet. Mama lag op de vloer te worstelen met Kwetter, mijn T-shirt en de spijkerbroek. 'Trek aan,' siste ze met woest geklemde tanden, 'trek aan zeg ik!'
'Nou,' zei Michael handenwrijvend, 'dan zal ik het stuur moeten nemen.'
Maar dat was niet makkelijk, want het ding had geen stuur. Het had alleen maar knopjes. Knopjes voor naar links, knopjes voor naar rechts, voor achter, voor voor...
'Makkelijk zat,' zei Michael. 'Net een computerspelletje. Maar eh... Waar zit de startknop?'
'Die grote rooie daar,' gokte ik. 'Daar staat een S op.'
'Prima,' grijnsde Michael. 'Daar gaan we!'
Hij drukte op de grote rooie knop.

# 15
# EEN RITJE MET DE KNALHAPPER

Met piepende oren lagen we op de vloer, duizelig van hier tot ginder. We klauterden gammel overeind en keken elkaar aan.

'Juist,' zei Michael. 'Dat was dus niet de S van starten. Dat was de S van schieten.'

We keken door het kleine raampje. Er zat een groot gat in de fabriek. Grappig genoeg precies op de plaats waar de grote S van SmikSmek had gehangen.

'Oeps,' grijnsde Michael. 'Ongelukje. En let op, de volgende is óók per ongeluk!' Hij beukte enthousiast met zijn vuist op de grote rooie knop. Er klonk een zacht 'ptoing' en verder gebeurde er helemaal niets.

'Hmmm,' deed Michael. Ptoing, ptoing, ptoioioioing... 'Misschien moeten we 'm eerst opnieuw laden. Zie jij ergens een knop met een L?'

Nee, nergens een L. Michael begon willekeurig op allerlei knopjes te drukken.

Daar zat ook het knopje bij, waarnaar we eigenlijk op zoek waren.

De tank begon te rijden.

Hortend en schokkend, slingerend en zwabberend.

'Ik zal ons eens even naar die eerste hulp rijden,' zei Michael

zelfverzekerd. 'Eens kijken, welke kant op zou dat zijn? Nou ja, eerst maar eens die parkeerplaats af. Hier naar links.' Hij drukte op het knopje naar links. Dacht hij. Maar we gingen niet naar links. In plaats daarvan klapte er een luikje voor het raam. Het werd heel erg donker in de buik van de tank.

'Ik kan mijn knopjes niet meer zien,' gilde Michael.

'Doe dat luikje dan weer open,' gilde ik terug.

'Hoe kan ik het luikje nou opendoen als ik het knopje niet terug kan vinden?'

'Druk dan waar je denkt dat het ongeveer zat!'

'Ach ja, natuurlijk. Komt-ie hoor.' Klik.

Maar er kwam geen luikje. In plaats daarvan ging de tank opeens twee keer zo snel.

'Oeps. Deze misschien.' Klik.

Nee dus. Maar de tank maakte wel een prachtige bocht naar links. Tenminste, zo voelde het. We knotsten allemaal tegen de rechtermuur op, in een grote wirwar van armen en benen.

'Hebbes!' riep mama. 'Wie z'n been is dit? Is dit Kwetter? Oh wacht, ik ben het zelf.'

Michael kroop rond door de tank en drukte op alle knopjes die hij vinden kon. Daardoor gebeurde er natuurlijk van alles - we gingen sneller, langzamer, weer snel en nog sneller, soms deed de motor opeens *wieieieie* of *ka-klunk*. Lichten gingen aan en uit. We schoten van links naar rechts, af en toe hoorden we een luide *BONK*! als we iets kapot reden.

'Wat was dat?' vroeg ik geschrokken.

Michael haalde zijn schouders op. 'Weet ik veel? Ik weet niet eens waar we zijn. Misschien crossen we door de stad. Misschien rijden we al een hele tijd rondjes in de Mjamburgerfabriek. Die bonk kan van alles geweest zijn. Een boom, een muur, een auto, een voetganger...'

'Ik wil eruit,' riep ik. 'Ik wil er *nu* uit! Al moet ik ervoor van een rijdende tank springen.'

Maar het bovenluik zat muurvast op slot.

Intussen was mama nog steeds met Kwetter aan het worstelen. Ze stommelden her en der door de nachtdonkere tank, met hun neuzen tegen knopjes en hun ellebogen tegen hendeltjes.

Daar werd de tank niet bestuurbaarder van.

Michael sloeg maar weer eens op de grote rooie schietknop.

WHAMMM!

'Hee, kennelijk hebben we hem opnieuw geladen. Kijken of het nog een keer lukt.' Ptoing, ptoing, ptoing.

Sneller, langzamer, links, rechts, plotseling het geluid van een mitrailleur ('Horen jullie dat? We hebben ook een mitrailleur. Goeie tank, zeg!') en floep, daar ging het raamluikje open.

Nu zagen we dat we door de stad aan het crossen waren. Recht op de glazen pui van een winkelcentrum af.

'Naar links,' gilde ik, 'ga naar links!'

'Naar links, naar links,' mopperde Michael. 'Jij hebt makkelijk commanderen. Doe het zelf, als je het zo goed kunt.'

'Wat is het knopje voor links?'

'Misschien wel deze.' Onze mitrailleur schoot de glazen wand van het winkelcentrum aan diggelen. 'Maar misschien ook wel een andere.'

We reden het winkelcentrum binnen. Daar was een porseleinwinkel, met een briefje op de deur:

*In de winkel niet stampen svp.*

*Onze theekopjes zijn heel breekbaar.*

'Mam, hoeveel porseleinwinkels zijn er in de stad?'

'Huh? Eentje maar, geloof ik,' zei mama verstrooid. Ze zat boven op Kwetter en trok het hevig wriemelende kind mijn T-shirt aan.

Er klonk een oorverdovend gerinkel.

'Ja hoor,' zuchtte ik. 'Maar één porseleinwinkel in de hele stad, en waar rijden we naar binnen?'

'Eh...' zei Michael, 'ik geloof niet dat je dit nog een porseleinwin-

kel kunt noemen. Het is meer een soort schervenmuseum.'

Na de porseleinwinkel reden we nog een groenten-en-fruitzaak tot moes en we pakten ook een halve ondergoedboetiek mee. Daarna zagen we een tijdje niets meer, want er hing een bh voor het raampje (aan de loop van het kanon, ontdekten we achteraf, hing een heel rek onderbroekjes).

Niet veel later leunde ik bij toeval tegen een hendeltje dat kennelijk belangrijk was. De tank kwam tot stilstand en het bovenluik floepte open.

'Eruit, jongens,' riep ik. 'Nu kan het!'

'Inderdaad,' zei mama, 'het kan. Kwetter heeft eindelijk die broek aan.'

Voorzichtig stak ik mijn hoofd uit het luikje.

We stonden midden op de grote markt. Normaal was het hier erg druk, maar nu was er geen mens te zien. Alleen als je heel goed keek, zag je nog een paar glimpsjes van mensen die zich verstopten achter de grote fontein en de prullenbakken en het oorlogsmonument.

En er was natuurlijk de politiewagen die met gillende sirenes vlak voor onze tank tot stilstand kwam.

Er stapten twee agenten uit.

'Zo,' zei agent Kees. 'Jullie weer. Tja. Ik hoorde een krankzinnig verhaal over een losgeslagen tank en ik zei meteen tegen Trees: dat zal de familie Laarmans wel weer wezen.'

'Klopt,' zei Trees. 'Dat zei-die. Ik zei nog: "Kom kom, Kees, er wonen heus wel *meer* gekken bij ons in de stad," en hij zei: "Misschien wel *meer*, maar geen *ergere*." Had je mooi gelijk Kees.'

'Ja,' knorde Kees tevreden. 'Ik krijg een chocoladereep van je. We hadden erom gewed,' legde hij uit.

'Kom er maar uit, lui,' zei Trees. 'De pret is voorbij.'

'Integendeel,' riep Michael vanuit het binnenste van de tank. 'De pret begint pas! Hahaa, wat vinden jullie hiervan?'

Ptoioing, deed het kanon.

'Oh ja,' zei Michael. 'Laden. Misschien dit knopje...?'

De ruitenwissers gingen aan.

'Tja,' zei Trees, 'wat vinden we hiervan?'

'Ik vind het wel lachen,' zei Kees.

'Ik eigenlijk ook,' zei Trees, 'maar nu is de pret *echt* voorbij. Kom eruit met je handen omhoog. Ik heb maar een klein pistooltje, maar ik weet *wel* hoe het werkt dus ik ben toch in het voordeel.'

We kwamen eruit met onze handen omhoog.

'Verhip,' zei Trees. 'Ze hebben een knaloranje kind bij zich!'

'Verbaast me niks,' antwoordde Kees. 'De familie Laarmans is tot alles in staat. Hup, de wagen in, jullie!'

We persten ons op de achterbank. Kwetter moest bij mama op schoot, anders paste het niet.

De wilde rit in de Knalhapper Plus had onze moeder geen goed gedaan. Niet alleen zat ze vol schrammen en bulten en blauwe plekken - dat zaten we allemaal – maar bovendien was haar vinger weer gaan bloeden. Bleekjes en stil zat ze voor zich uit te staren.

Michael en ik waren ook niet al te vrolijk. We waren ontsnapt aan de Vreselijke Vleeshakker, dat wel, maar waarschijnlijk draaiden we voor ik weet niet hoe lang de gevangenis in. Tank gegapt, dingen kapotgemaakt, misschien wel mensen overhoop gereden...

Alleen Kwetter bleef opgewekt. Af en toe keek ze onder haar T-shirt om te zien of haar buik er nog was (daar maakte ze zich een beetje zorgen over, omdat haar buik nog nooit eerder bedekt was met een T-shirt of zo), maar telkens kwam ze geheel gerustgesteld weer overeind en dan ging ze tevreden uit het raampje zitten staren.

Daar was niet veel te zien, want we stonden nog steeds op het plein.

Trees had gezegd: 'We kunnen die tank hier niet laten staan. Ik rij 'm wel naar 't bureau. Ze was door het bovenluik naar binnen

geklommen en sindsdien was het stil.

Er was niets anders te horen dan de vingers van Kees, die onge-duldig op het stuur van de politiewagen trommelden.

'Kee-hees,' galmde de stem van Trees uit het binnenste van de Knalhapper Plus, 'weet jij hoe een tank werkt?'

'Tuurlijk,' zei Kees, 'dat weten alle jongens. Dat is aangeboren. Jongens en tanks horen bij elkaar als verkeersborden en be-keuringen.' Hij stapte uit de politiewagen en klom moeizaam de Knalhapper in. 'Eens kijken...' hoorden we hem zeggen. ''t Is heel eenvoudig. Net een computerspelletje. Kijk, zie je die grote rooie knop met die S? Da's natuurlijk de startknop. Jongens be-grijpen dat meteen. Huppetee.'

Ptoing, deed de tank. Verder niks.

'Oh,' zei Kees. 'Misschien is het dan deze...' Kleng, klang: alle luikjes klapten dicht.

'Die krijgt-ie voorlopig niet meer open,' grinnikte Michael.

'Het zal daarbinnen wel lekker donker zijn,' grijnsde ik terug.

Even later begon de Knalhapper te bewegen. Hij zwalkte her en der over het plein, het kanon draaide alle kanten op, ruitenwis-sers sprongen aan en uit, koplampen knipperden, en ja hoor: WHAMMM, daar schoot agent Kees per ongeluk het oorlogs-monument aan puin.

Of misschien was het agent Trees wel.

De tank beukte drie lantarenpalen plat, reed een kapperswinkel binnen, aan de andere kant weer eruit en zo begon het metalen monster aan een tweede tocht van vernieling en paniek.

'Die zijn nog wel even bezig,' zei Michael.

'Komt dat even mooi uit,' antwoordde ik. 'Dan kunnen wij intus-sen papa ophalen uit de gevangenis.'

'Precies mijn idee,' glunderde Michael. 'En kijk, die suffe Kees heeft zijn sleutels in het contact laten zitten. Wat zeg je d'r van, mam? Zullen we deze politiewagen een poosje lenen?'

Mam zei er niks van. Haar ogen staarden glazig in de leegte.

# 16

# NAPLIEZIEBRO

Ze zag er bleek uit. Alsof er helemaal geen bloed meer in haar wangen zat. Al het bloed uit haar wangen lag op de vloer van de politiewagen.

'Mama,' riepen Michael en ik, 'mama! Mama!' Maar ze knipperde niet eens met haar ogen.

Kwetter zei niks. Kwetter dééd iets. Ze sloeg mama met haar vlakke handje in het gezicht, pets, en nog eens, pets, en pets pets pets. En niet al te zachtjes. Mama werd er wakker van, gelukkig, of in ieder geval een béétje wakker.

'Watizzer?' vroeg ze lodderig.

'We moeten naar de eerste hulp,' zei ik.

'Wazijndiepliezies?'

'Eh...' Ik keek naar Michael. Die schudde van nee, ik versta er ook niks van.

'Waa... zijn... die... pliezies?'

'Oh, die agenten? Die zijn er met de tank vandoor.'

'Nee,' verbeterde Michael grijnzend, 'de tank is er met *hen* vandoor. Dus wij kunnen met deze politiewagen naar de eerste
hulp. Goed hè?'

Mama schudde haar hoofd. 'Naplieziebro,' beval ze.

'Naar het politiebureau?' dacht ik te begrijpen.

Ze knikte. 'Papahale.'

Papa uit de cel halen, dat wilde ze. Maar ze moest nodig naar het
ziekenhuis. Het werd een lang gesprek en op het einde zei Michael: 'We kunnen nou nog een uur doorpraten, maar in dat uur
kunnen we ook gewoon even naar het ziekenhuis gaan.'

'Of papa hale,' zei mama.

Wij gaven het op. Niemand wint het van onze moeder, ook wij
niet. Op naar het politiebureau dan maar.

Mama wilde rijden.

'Rijden!? Je kunt niet eens praten!'

'Jullie hebben geen rijbewijz... mag nie rije zonner rijbewijz...
zijn hier nie in Boegoe-Boegoe...'

'Boegoe-Boegoe,' murmelde Kwetter tevreden.

Mama ging rijden. Het was levensgevaarlijk, ze keek niet links
of rechts, ze had geeneens genoeg puf om op de stoplichten te
letten. Gelukkig vond Michael, die naast haar zat, snel het knopje voor de sirene. Die ging aan, op z'n allerhardst, en toen moesten de mensen voor óns opzij. Van de stoplichten hadden we ook
geen last meer.

'Ik neem later ook zo'n sirene op mijn auto,' zei Michael. 'Die
dingen zijn hartstikke handig.'

'Dag mag niet zomaar, hoor,' wist ik. 'Dan moet je bij de politie
zitten.'

'Of bij de brandweer,' zei Michael. 'Of de ambulance.'

'Ik zou bij de brandweer gaan als ik jou was,' giechelde ik. 'De
onderbroek heb je al.'

'Heel grappig, ja,' snauwde Michael.

Zonder ongelukken bereikten we het politiebureau. Daar stopte

mama de auto en kieperde langzaam voorover, tot haar hoofd op het stuur lag.

'Ga jij papa maar even halen,' zei Michael.

'Ik? In m'n eentje? Waarom ga jij niet mee?'

'In m'n onderbroek zeker, nee dankjewel.'

Ik stapte uit. 'Kom jij mee, Kwetter? Eh...' Hoe zei ze dat zelf ook alweer? 'Eh... Kwikkel?'

Ik zei het niet helemaal goed, kennelijk, want Kwetter rolde over de achterbank van het lachen. 'Kwikkel, hihihihiiii, kwikkel, hihi!' Ze lachte zo hard dat ze in haar broek plaste. Dat vond *ik* dan weer grappig, vooral omdat het Michael z'n spijkerbroek was waar ze in lag te piesen.

'Gaan jullie nou nog?' zei Michael knorrig.

We gingen. De autosleutel namen we mee, want daar zat een hele bos aan. En een sleutelbos is altijd handig, als je mensen wilt bevrijden. Scheelt echt enorm veel gedoe.

Op de deur van politiebureau hing een geel plakbriefje:

*Wij zijn even weg.*

*Over 10 minuten terug.*

Ik grinnikte. Over tien minuten terug? Dat kon nog wel eens tegenvallen; wij hadden minstens een half uur in die tank opgesloten gezeten.

De deur zat op slot, maar dat gaf niet want we hadden sleutels. Het was even proberen, voor we de goede hadden, maar mij hoorde je daar niet over klagen. Kwetter ook niet. Tenminste, ze zei wel een hoop, maar dat klonk niet als klagen.

Het klonk alsof ze nog steeds moest lachen om mijn 'Kwikkel'.

'Ik hoop maar dat je er plezier van hebt,' bromde ik, en terwijl ik het zei - klik - ging de deur open.

Voorzichtig slopen we het politiegebouw binnen.

De hal was leeg.

Nou ja, niet echt leeg natuurlijk: er was een balie met een bordje - Hier Melden -, een rek met folders over wat je moest doen als je

114

fiets gestolen was (nieuwe kopen), een kapstok, een bankje om te wachten, een paar posters met de gezichten van verdwenen kinderen (ik hoopte maar dat Snoet ze niet te pakken had gekregen) en meer van die dingen. Gewoon, politiebureaudingen.

Op het bordje met Hier Melden zat weer een geel plakbriefje:

*Beste Mees,*

*Wij zijn even weg. Er schijnt een losgeslagen tank*
*door de stad te rijden (vast weer die lui van Laarmans,*
*volgens Kees). Die moeten we inrekenen,*
*dus we hebben de wagen mee.*
*Geef jij meneer Laarmans een kopje thee?*
*Hij zit in cel twee.*
*Liefs, Trees*

'Weet je wat dit betekent?' zei ik tegen Kwetter. 'Het betekent twee dingen.'

'Tjeppewak bidebloep,' antwoordde Kwetter.

'Zou kunnen,' gaf ik toe. 'En als je gelijk hebt, betekent het zelfs drie dingen. Ten eerste: er zijn hier op dit moment geen agenten, maar er kan elk moment een meneer Mees aankomen, en ik denk dat dat een agent is.

Ten tweede: papa zit in cel nummer twee.

Ten derde: tjeppewak bidebloep. Maar dat wist je al, want dat heb je me zelf verteld.'

Kwetter knikte.

'Goed. Dan moeten we papa uit cel nummer twee halen voordat agent Mees terugkomt.'

We hoefden niet lang te zoeken naar cel twee; achter de marmeren balie was een deur en achter de deur was een gang en in de gang hing een bordje in de vorm van een pijl. Naar De Cellen, stond erop. Een raar bordje, want je kon in de gang maar één kant op. En de gang was maar drie meter lang. Aan het einde was er één cel en die heette cel twee. Ernaast was een grote stalen deur waarop 'cel 1' was doorgekrast; er hing een papiertje

met 'archief' erop. Er was ook een papiertje bij de doorgekaste 'cel 3'; daarop stond 'keuken'.

Wat een sneu bureau, dacht ik. En die Trees de hele tijd maar zeggen van "dit is een serieus politiebureau!" Mocht ze willen! Arme Trees en Kees... Zijn zij nou zulke snertagenten geworden omdat ze in zo'n snertbureautje moeten werken? Of is het een snertbureau geworden omdat er zulke prutsers van agenten rondlopen?

Ik probeerde alle sleutels van de bos op de deur van cel twee.


Op datzelfde moment kwam er, bij de voordeur van het bureau, iemand aangefietst. Het was agent Mees. Mees was een knappe, blonde jongeman, breed van schouders en traag van begrip.

Verwonderd keek hij de politiewagen in. Daar lag mijn moeder, met haar hoofd op het stuur. Michael zat ernaast, in zijn onderbroek met brandweerautootjes.

Raar!

Agent Mees keek nog eens heel goed of hij nergens een spoortje van Trees of Kees zag. Maar nee - helemaal niks.

'Van wie mogen jullie in deze politiewagen?' vroeg Mees.

'We *mogen* niet,' zei Michael, 'we *moeten*. Van agent Kees.' Dat was waar, agent Kees had gezegd dat we in moesten stappen. Dat wij, als hij zichzelf per ongeluk in een tank zou opsluiten, met loeiende sirenes door de stad mochten scheuren om onze vader uit de gevangenis te halen - dat had Kees er niet bij gezegd. Maar goed, Mees vroeg er ook niet naar, dus waarom zou Michael dat hele verhaal erbij vertellen?

Agent Mees wreef over zijn kin. Jongetjes in onderbroek, die naast bewusteloze dames in politiewagens zaten - dat *kon* niet in orde zijn. Aan de andere kant: blijkbaar had Kees gezegd dat het mocht. Mees had een heilig ontzag voor Kees. Kees was zoveel slimmer dan hij! Kees kende lange, moeilijke woorden zoals "justitieel" en "geweldsmonopolie". Als Kees had gezegd dat het mocht... dat het *moest*...

116

Maar als het nou eens niet klopte, wat dit jongetje zei? Vanwege een misverstand of zoiets?

'Ik ga even naar binnen,' zei agent Mees. 'Dan vraag ik het even, aan Kees. Dat het voor iedereen duidelijk is, vandaar, ja? Nergens, eh, nergens heenrijden hoor!'

'Tuurlijk niet,' zei Michael gul. 'Ik kan geeneens autorijden.'

Goed. Agent Mees ging naar binnen.

De vijfde sleutel die ik probeerde, deed 'klik'. Ik duwde de zware stalen deur open. Achter de deur was een kaal kamertje. Het was er niet koud of donker of vochtig. Het was er helemaal niks. Er waren ook geen ratten of kakkerlakken of ballen voor aan je been. Er was helemaal niks.

Alleen een soort matras, en daarop lag papa. Hij staarde naar het plafond (waar helemaal niks te zien was). Hij neuriede zachtjes een liedje en leek ons niet op te merken.

'Papa,' zei ik, 'we gaan.'

Hij schrok op en keek verward om zich heen. Daarna glimlachte hij zo blij als ik hem nog nooit had gezien.

'Gaby! En... en... een oranje kindje? Waar is mama? Waar is Michael? Hoe komen jullie hier binnen?'

Ik probeerde in een paar zinnen te vertellen wat er allemaal gebeurd was. Dat lukte natuurlijk niet: er was veel te veel, papa bleef maar vragen hoe dit precies was gebeurd en hoe dat precies was gegaan. Hij kreeg tranen in zijn ogen toen hij hoorde dat Bengbuk met zijn Knalhapper Plus het Oegandese moerasgras in de tuin had geplet.

'Ja, heel erg allemaal,' zei ik, 'maar we moeten hier snel vertrekken. Mama moet naar de eerste hulp en trouwens...'

'Pliet!' gilde Kwetter. 'Pliet, pliet!' Ze leek echt in paniek.

Ik draaide me om.

In de deuropening stond de gespierde gestalte van agent Mees.

# 17

# HET MEVROUWTJE
# MOET EEN DUTJE DOEN

'Wat is hier aan de hand?' vroeg agent Mees. 'Dit is toch niet een eh... een ontsnapping, hè?'

'Nee hoor,' zei mijn vader. 'Gaby en eh...'

'Kwetter,' vulde ik aan.

'...en Kwetter zijn gewoon op bezoek.'

Agent Mees vertrouwde het niet helemaal. Agent Mees was niet gek!

'Wie heeft jullie dan binnengelaten? Wie heeft de deur van de cel opengedaan?'

'Agent Trees,' zei ik.

Nu raakte Mees echt in de war. Vóór het bureau: de wagen, met een bewusteloze vrouw en een jongetje in onderbroek. Op de balie: een briefje van Trees, met een onduidelijk verhaal over een tank. In de cel: twee meisjes, waarvan er een oranje was. En helemaal nergens: zijn twee collega's, die hem alles hadden kunnen uitleggen.

Oh, was agent Kees maar hier! Die was zo slim en verstandig, die zou vast wel begrijpen hoe het allemaal zat. Of agent Trees, was *die* maar hier. Ze was weliswaar niet zo slim als Kees, maar agent Mees was stiekem verliefd op haar. Hij wilde eigenlijk altijd wel, dat ze er was. En nu helemaal. Trees kon vreselijk kwaad worden als je iets doms deed. En wat was er nu dommer: de meisjes opsluiten, terwijl Trees ze had binnengelaten? Of de meisjes zomaar de cel uit laten wandelen?

Moeilijk!

'Waar is Trees?' vroeg hij zich hardop af.

'In de keuken,' zei ik. 'Thee maken. Ga maar kijken.'

'Ga ik doen,' zei Mees dankbaar. Hij draaide zich al om, maar bedacht nog net op tijd: 'Wacht eens even... Jullie gaan toch niet snel ontsnappen, terwijl ik in de keuken ben, hè?'

'Nee hoor,' loog ik, 'het was nog niet eens in me opgekomen.'

'Hmmm. Weet je wat? Ik doe zolang even de deur op slot.'

Hij draaide zich weer terug, maar hij had geen rekening gehouden met Kwetter. De buitengewoon sterke, snelle, lenige Kwetter. In één rappe buiteling dook ze over zijn linkerschouder en rende de gang in.

Agent Mees had lange, sterke benen en lange, sterke armen. Hij haalde Kwetter binnen een paar tellen in. Onze oranje vriendin dook watervlug tussen de lange sterke benen door, voordat de grote krachtige handen haar konden grijpen.

Papa en ik renden de cel uit en verschansten ons in de keuken. Mees lette niet eens op ons. Kwetter nam hem helemaal in beslag.

En dat was niet zo vreemd. De trucs die ze uithaalde om aan zijn grote maaiende armen te ontsnappen waren spectaculair. Ze rende op hem af en toen hij vlakbij was, lag ze opeens plat tegen de grond gedrukt, zodat zijn handen ver boven haar hoofd in het niets grepen. Daarna rende ze weer verder zonder tijd of snelheid te hebben verloren, net alsof ze *niet* op de grond had gelegen. Ze rende tegen de muur omhoog, tikte het plafond aan en sprong met een salto weer naar beneden. Ze klauterde omhoog langs de rug van Mees, die verwoed met zijn armen zwaaide om haar af te schudden, en vanaf zijn hoofd sprong ze naar boven. Daar hing ze met haar tenen aan de plafondlamp, en met haar handjes trok ze de pet van Mees' hoofd.

Mees werd roder en roder. Van inspanning, maar ook van schaamte omdat dit iele grietje hem voor gek zette, en van steeds grotere woede. 'Hier jij! (hijg... puf...) Als ik jou (hijg) te pakken krijg, dan...'

Maar hij kreeg haar niet te pakken. Ze rende de cel in en hij, verblind door woede, rende haar achterna. Hij had gewoon de deur dicht moeten gooien en haha, op slot, en daar zat ze dan – maar nee hoor, hij moest en zou haar persoonlijk grijpen. Met een wilde grom dook hij op haar af. Zij rende tegen de muur op en hup, ze dook over hem heen. Naar buiten.

En hij lag binnen.

Doing! Kwetter gooide de deur achter hem dicht. Haha! Opgesloten!

'Bloenkie,' zei Kwetter met een tevreden grijns. Papa en ik gaven haar een beleefd applaus. Maar niet te lang, want mama moest nu toch echt naar het ziekenhuis.

We holden het politiebureau uit. Het was nog even een gezeul om de bewusteloze mama achter het stuur vandaan te slepen en op de achterbank te zetten, maar daarna ging het ook hard. Met loeiende sirenes naar het ziekenhuis!

'Lekker zeg, zo'n sirene,' zei papa terwijl hij op twee wielen een bocht nam.

Tijdens het rijden vertelden we alles wat ons was overkomen. Precies aan het einde van het verhaal lag mama op een brancard en werd ze naar de Eerste Hulp gereden.

Daar werd ze onderzocht door een dokter met een vreselijk zonnebankhoofd, glanzend zwart haar en een dun grijs snorretje.

'Wat hebben we hier?' kirde de dokter. 'Een mevrouwtje! En wat is er met dit mevrouwtje aan het handje? Beetje bleekjes... beetje bleekjes... en ook een beetje bewusteloosjes, zie ik. Eens kijken, hmhmhm, ach, d'r is écht iets aan het handje. Aan het rechterhandje. Aan het rechterhandje zit een verbandje. Ik ga even koekeloeren.' Hij haalde de roze tennisbal van mama d'r middelvinger en bekeek de zaak nauwkeurig.

'Zozo, er is niks *aan* het handje, er is iets van het handje *af*. Een vingertopje. Hebben jullie dat bij je?'

'Nee,' zei ik. 'Dat zit door de Mjamburgers.'

'Toe maar, toe maar,' zei de dokter. 'Smikkelen en smullen. Dan stel ik voor dat we dat topje verder vergeten. Scheelt ook weer bij het nageltjes lakken, nietwaar? Is toch, patati patatom, even rekenen, tien procent minder nagels te lakken. Allemaal tijdwinst! Goed. We zullen dit wondje eens even schoonmaken. En het mevrouwtje heeft ook een beetje gebloed, denk ik?'

'Ja, nogal,' zei Michael. Hij werd weer bleek bij de gedachte.

'Dan heeft het mevrouwtje geluk!' riep de dokter. 'We hebben hier wel tweeduizend liter reservebloed! Niet allemaal voor dit mevrouwtje natuurlijk, dan ploft ze uit elkaar en dan zijn we nog verder van huis. Nee, een litertje zal wel genoeg zijn. Of anderhalf, of twee. Zullen we dat eens doen?'

'Nou... graag,' zei papa. 'Als het niet teveel moeite is.'

'Meneer, om eerlijk te zijn: het is wèl veel moeite. Een gedoe! Jullie patiënten hebben er geen idee van! Je kunt er niet zomaar elke plens bloed in gooien, hoor. Je moet eerst uitzoeken wat voor bloed het mevrouwtje heeft, hoeveel ze nodig heeft, enzovoort enzovoort. Maar geen zorgjes hoor, we lappen dit mevrouwtje helemaal op en dan is ze weer als nieuw.'

En zo was het ook. Diezelfde avond stapte mama uit haar ziekenhuisbed, terwijl het helemaal niet mocht.

'Je moet nog een nachtje hier blijven, zegt de dokter.'

'Zo,' zei mama, 'zegt-ie dat. Nou, dan heeft-ie mooi pech. Ik blijf hier geen minuut langer. Ik word gek van die man, met z'n "mevrouwtje" dit en "mevrouwtje" dat.' Er zaten een paar slangetjes in haar arm, die trok ze er zomaar uit en ze ging op zoek naar haar kleren. Die vond ze in een kastje naast haar bed. Hoofdschuddend bekeek ze haar bloes. 'Zó zonde,' zuchtte ze. 'Een prima bloes, en moet je nou kijken: overal bloedvlekken! Die krijg ik er nooit meer helemaal uit. Nou ja, we leven nog en daar moeten we dan maar blij om zijn. Waar is papa eigenlijk?'

'Die is de hele dag al weg,' vertelde Michael. 'Hij moest nog wat dingetjes doen, zei hij.'

'Dingetjes doen?' vroeg mama verontwaardigd. 'Wie gaat er nou dingetjes doen als zijn vrouw ziek op bed ligt?'

'Je was geeneens ziek,' wierp Michael tegen. 'Je was alleen maar flauwgevallen. Van de schrik, en van het bloeden. Toen de dokter je vinger had gehecht, en vier zakjes bloed in je arm had laten lopen, was je zelfs niet eens meer flauwgevallen, je sliep gewoon! "Het mevrouwtje moet even een dutje doen," zei de dokter. "Nou," zei papa, "als er geen gevaar meer is, dan ga ik even wat dingetjes doen." Hij gaf ons wat geld, om eten te kopen in het ziekenhuisrestaurant, en hij ging weg.'

'Juist ja,' zei mama. 'En over een kwartier is hij weer terug.'

'Hoe weet jij dat?' vroeg ik.

'Dat *weet* ik niet, dat *wil* ik gewoon. Als hij er over een kwartier niet is, dan vertrekken we en dan ziet hij maar hoe hij ons terugvindt.'

Michael en ik keken elkaar aan. Verbaasd en ook een beetje ongerust.

'Terugvinden?' vroegen we. 'Hoezo: terugvinden? Papa weet heus wel waar wij wonen hoor. Daar woont hij zelf ook, namelijk.'

Mama schudde zuchtend het hoofd. 'Lieverds, ik moet jullie iets uitleggen. Wij hebben met een tank door de stad gescheurd, en als ik zeg : "door de stad," dan bedoel ik ook echt dwars erdoorheen. Zoals die porseleinwinkel, weet je nog wel?'

Michael grijnsde breed. Ja, dat wist hij nog wel.

'Dat gaf nogal wat schade,' ging mama verder. 'Bovendien hebben we een politiewagen achterover gedrukt en hebben we papa uit de cel bevrijd. En een agent opgesloten, geloof ik?'

Ditmaal was het mijn beurt om te grijnzen.

'Dat is allemaal hartstikke verboden,' zei mama. 'Dus je kunt er vanuit gaan dat de politie ons maar wat graag zal arresteren. En ze zijn niet allemaal zo stom als Mees, Trees en Kees. Daar komt nog bij dat Dogger en zijn vrienden ons uit de weg willen hebben. Die lui vormen een machtige, internationale schurken-bende. Ze deinzen nergens voor terug: moord, brand, ontvoe-ring, noem maar op. De politie weet waar we wonen; ze hebben papa al eens gearresteerd. Dogger weet ook waar we wonen; hij is onze achterbuur. Kortom: thuis zijn we niet veilig. De laatste plek waar we ons ooit nog kunnen vertonen, is in ons eigen huis. Daar moeten we dus ver vandaan blijven. We zullen de rest van ons leven op de vlucht moeten blijven. Begrijpen jullie dat?'

We knikten bleekjes. We snapten nu ook waarom mama het over "terugvinden" had gehad. We moesten ons schuilhouden voor politie en schurk – hoe konden we papa dan laten weten waar we waren?

Als hij binnen het kwartier niet kwam, zouden we hem mis-schien nooit meer terugzien.

Gelukkig kwam hij na een minuut of elf mama's ziekenhuiska-mer binnenstappen.

'Waar bleef je zo lang?' vroegen wij opgelucht.

'Ik moest dingetjes doen,' zei papa. Hij telde af op zijn vingers: 'Ik heb de politiewagen teruggebracht. Ik heb de hulpdienst ge-beld en verteld dat ze agent Mees uit de cel moesten halen – we konden die sloeber daar toch niet laten verhongeren? Ik heb een auto gehuurd, onder een valse naam. Ik heb thuis onze paspoor-ten, rijbewijzen, bankpasjes en dergelijke opgehaald. Ik heb boodschappen gedaan. Ik heb – weer onder een valse naam – een huisje in de duinen gehuurd. Eh... dat was het wel zo'n beetje.'

'Schat,' zei mama, 'Je bent geweldig. Voorlopig zal niemand ons vinden. Dat zal ons mooi de kans geven om mijn plannen uit te voeren.'

'Plannen?' vroegen wij.

'Ja, lieverds. Plannen. Oh, de plannen die ik heb! Wacht maar af...'

# 18
# DE TAFELS VAN
# BOEGOE-BOEGOE

We reden door de nacht, op weg naar de bungalow. Papa stuurde, mama zat naast hem. Ze sliep alweer. Michael sliep ook. Michael valt altijd meteen in slaap, zelfs als hij een enge film heeft gezien. Of als het heel hard onweert.

Ik lig juist vaak wakker. Als ik ergens over lig te piekeren bijvoorbeeld. Of als ik een drukke dag heb gehad.

Vandaag had ik veel om over te piekeren. En ik had ook best een drukke dag gehad.

Kwetter zat naast me. Ze tjipte zachtjes een beetje voor zich uit. Als je goed luisterde, leek het een soort liedje, een slaapliedje misschien wel.

Opeens zei papa, langzaam en duidelijk, maar wel een beetje aarzelend: 'Kwiekeblief... bjet... Boegoe-Boegoe... nittigyik.'

Kwetter ontplofte bijna. Ze stuiterde heen en weer - voor zover dat ging, ze had natuurlijk een autogordel om - ze gilde en juichte, ze tikte papa op zijn achterhoofd en op zijn schouders, ze zwaaide met haar armen en spartelde met haar voetjes.

Michael en mama werden wakker.

'Wat is er aan de hand?' vroeg mama chagrijnig.

'Ik heb nog een ander dingetje gedaan vandaag,' zei papa. 'Ik ben bij mijn achterneef Steven langs geweest. Je weet wel, die professor in de Taalkunde. Ik vroeg of hij ook een Boegoe-Boegoenees woordenboek had. Dat had hij niet; hij wist niet eens dat Boegoe-Boegoe bestond.'

'Boegoe-Boegoe!' gilde Kwetter opgetogen. 'Boegoe-Boegoe!'

'Maar,' ging papa verder, 'mijn neef kent een meneer, Doctor Fehlschreiber, en die spaart álle woordenboeken van álle talen. Dus als er iemand zo'n woordenboek heeft, zei neef Steven, dan is het Doctor Fehlschreiber wel.

En inderdaad, Fehlschreiber had er een. Het lag ergens helemaal onderop, en hij moest er een dikke laag stof vanaf blazen, en het is verschrikkelijk zeldzaam want bijna niemand heeft ooit van Boegoe-Boegoe gehoord.'

'BOE-GOE-BOE-GOEOEOE!'

'Ja, fijn hè Kwetter,' zei ik. Ik gaf een aai over d'r oranje haar en meteen begon ze mij heel hard te knuffelen. Ze begroef haar gezicht in mijn hals en mummelde blij van 'Bmfgmf-Bmfgmf.'

Mama zei: 'Eerlijk gezegd, ik wist ook niet dat Boegoe-Boegoe echt bestond. Ik dacht altijd dat dat maar een wijze van spreken was.'

'Nou,' zei papa, 'het bestaat niet alleen, het heeft zelfs een woordenboek. Ik kreeg het meteen mee en ik mag het lenen zo lang als ik wil, omdat ik de neef ben van Steven. "Het is mij ener genoegen om der neef mijnes vriend Stevens ener genoegen te doen," zei Doctor Fehlschreiber. Hij hoopt dat Steven hem een baantje aan de universiteit zal bezorgen, vandaar.'

Vandaag heb ik met behulp van het woordenboek een zinnetje uit het hoofd geleerd, dat zoveel betekent als: "Morgen ga ik Boegoe-Boegoe-taal leren." Ik dacht dat Kwetter het wel fijn zou vinden, haar eigen taal weer te horen.'

'Je bent lief, papa,' zei ik.

'Ja,' gaapte mama. 'Je... je bent... eh...' en ze sliep alweer.

Michael snurkte.

'Bmfgmf-Bmfgmf,' murmelde Kwetter in mijn hals.

Zo reden we door de nacht.

De volgende dag was heerlijk rustig. Mama verdween al vroeg met de auto, ze wilde wat spullen ophalen.

'Ben je voorzichtig, mama? Misschien wordt ons huis wel bewaakt...'

'Maak je maar geen zorgen, liefie. Ik ga niet langs huis.'

'Maar je ging toch spullen ophalen? Waar ga je dan...'

'Fijne dag, lieverd!' En weg was ze.

Papa was heel de dag druk met het doen van boodschappen en het inrichten van de bungalow. Hij haalde een voetbal voor Michael, en die bleef de rest van de dag de bal tegen het muurtje van de bungalow schieten. Vinden jongens leuk.

Kwetter en ik zaten de hele dag aan de keukentafel, met het woordenboek. Zij leerde mij een beetje Boegoe-Boegoenees en ik leerde haar een beetje Nederlands. Het ging heel langzaam, woordje voor woordje, en de talen waren heel verschillend. Het Boegoe-Boegoenees heeft bijvoorbeeld geen woord voor 'tafel'. En het Nederlands heeft weer geen woord voor 'kiyik'. Een kiyik is een liaan die wel stevig genoeg is om aan te hangen en in te klimmen, maar die gegarandeerd zal breken als je eraan gaat zwieren.

Tja. Waarom zouden wij daar ook een woord voor hebben? In Boegoe-Boegoe is het heel belangrijk om aan iemand te kunnen vertellen of een bepaalde liaan een kiyik is of niet, maar hier in Nederland is dat niet zo nodig.

Zouden ze in Boegoe-Boegoe geen woord voor 'tafel' hebben, omdat ze nooit over tafels praten? Omdat ze er geen *hebben*?

Aan het einde van de dag konden Kwetter en ik elkaar al goed genoeg verstaan om het te vragen. En inderdaad: ze hadden geen tafels.

Vlak voor het avondeten kwam mama terug. Ze had de hele auto volgestouwd met spullen. Het was een waanzinnige verzameling: een pak hondenkoekjes, koperdraad, reageerbuisjes en gasbrandertjes, tweehonderd mobiele telefoons, een stapel boeken, heel veel plastic boodschappentassen en genoeg appelsap en drop om twee weeshuizen een maand lang gelukkig te houden.

Door het appelsap en de drop begreep ik het. Ik wist nog heel goed wat ze had willen maken van appelsap en drop.

'Mama,' vroeg ik met een klein beetje buikpijn van de spanning, 'ga je een bom maken?'

'Nee,' zei mama. 'Ik ga niet "een bom" maken. Ik ga tweehonderd bommen maken.'

'WAT?'

Ik schreeuwde zo hard, dat Michael zijn bal in de steek liet en naar binnen kwam geslenterd.

'Wat is er?'

'Ze gaat tweehonderd bommen maken!'

'Leuk. Mag ik meedoen?'

Vanachter het fornuis vroeg papa: 'Tweehonderd, schat? Is dat genoeg, denk je?'

'Nee, natuurlijk niet,' antwoordde mama. 'Ik zou het liefst elke Mjamburgerbar, elke varkensstal, elke wapenfabriek, elke Cockel-benzinepomp en vooral elke Doggersbank van het hele land de lucht in blazen. Daar zou je duizenden bommen voor nodig hebben. Dat krijgen we met ons vijven nooit voor elkaar. Tweehonderd is het hoogst haalbare, dat kunnen we in twee maanden doen. Dan moeten we elke nacht drie of vier dingen opblazen.

Dat wordt nog behoorlijk plennen, maar het moet lukken.'

'Ik vind dit geen goed idee, schat,' zei papa bedachtzaam.

'Pech,' zei mama. 'Want we gaan het *wel* doen. Die eerste paar bommetjes, dat deed ik alleen maar voor de rechtvaardigheid. Maar nu is het *persoonlijk*. Als je mij echt pissig wilt krijgen, moet je mijn kinderen in een gehaktmolen gooien. Werkt altijd. Maar je kunt je beter eerst even afvragen hoe graag je dat nou eigenlijk wilt - mij pissig krijgen. Ik ben dan opeens helemaal niet meer gezellig, namelijk. Ik krijg de neiging om dingen stuk te maken en zo. En toevallig weet ik ook manieren om dingen heel, heel erg stuk te krijgen. Dus.'

'Dat weet ik allemaal wel,' zei papa. 'Maar elke nacht drie dingen opblazen, dat gaat gewoon niet lukken. Na één week staat elke agent in het land 's nachts op de uitkijk bij een bank of een benzinepomp. Dan worden we gepakt, zo zeker als twee en twee vier is. Nee, je kunt je beter wat inhouden. De Mjamburgerfabriek, Bengbuks wapenfabriek, een paar banken en benzinepompen...'

'Niks d'r van,' beet mama hem toe. 'Ik ga ze raken waar het pijn doet. In hun spullen, hun kostbare hebbedingetjes, waar ze zo veel van houden dat ze bereid zijn de meest verschrikkelijke misdaden te plegen. Oh ja, dat doet me eraan denken: hun huizen! Hun dure villa's! Hun sjieke auto's! Die gaan allemaal de lucht in, let op mijn woorden.'

'We hebben 't er nog wel over,' zei papa zuinigjes. 'Nu gaan we eten, de pannenkoeken zijn mooi bruin en veel bruiner moeten ze niet worden.'

Mijn vader kan geweldig goed pannenkoeken bakken. Nou zijn pannenkoeken niet zo vreselijk moeilijk, maar het gekke is: mama is er lang zo goed niet in. Terwijl ze geweldig kan koken, de meest ingewikkelde gerechten, allerlei dingen die gevuld moeten worden met andere dingen en waar dan weer een moeilijke saus overheen moet op precies het juiste moment, dat kan

ze allemaal. En heel simpele dingen kan ze ook heel goed - haar gebakken ei is perfect en haar gekookte aardappel is een legende onder al onze vrienden en kennissen - maar pannenkoeken, nee. Althans, lang niet zo goed als papa.

Dat geldt trouwens voor de meeste vaders. In elk gezin, dat ik ken, is de papa de pannenkoekenspecialist. Het heeft iets met papa-zijn te maken, denk ik. Net zoals mama's altijd vragen of er nog iemand moet plassen.

Het eten was niet zo gezellig, want er waren voortdurend misverstanden en ruzies, vooral tussen mijn moeder en Kwetter. Kwetter had de meest verschrikkelijke tafelmanieren, die je je maar kunt voorstellen. Het was echt waar, wat mama ons ooit verteld had over de Boegoe-Boegoenese eetgewoonten: Kwetter kauwde een stuk pannenkoek tot pulp met een slok melk erbij, en probeerde die drab dan bij ons in de keel te spugen. Je moest voortdurend op je hoede zijn, anders lukte het haar en dan vloog er zo'n vieze kledder bij je naar binnen. Dan keek Kwetter je heel blij en tevreden aan, alsof ze verwachtte dat je haar dankbaar was.

Op haar beurt keek ze verlangend toe als wij een hap namen. Ze sperde haar mond open en wees op haar keelgat: of wij de boel daar maar in wilden spugen.

Wilden we niet.

Hoewel: één keer kreeg ik medelijden en ik spuugde mijn hap recht in haar keel. Mama werd vreselijk kwaad en tierde van 'Zijn jullie helemaal gek geworden? We zijn hier niet in de binnenlanden Boegoe-Boegoe!'

'Boegoe-Boegoe!' riep Kwetter enthousiast en ze klapte in haar handjes.

Mama gilde nog harder en dat was dom, want als je gilt staat je mond wijd open.

Flatsj! deed Kwetter.

Uche! Rochel! Kuch! deed mama.

Michael moest zo hard lachen dat de slok melk, die hij net ge-
dronken had, door zijn neus weer naar buiten kwam.

Dat vond Kwetter interessant! Dat ging ze ook proberen!

Mama gilde zo woest en hard dat alle glazen kapotsprongen.
Melk en water en de rode wijn van papa golfden over het tafel-
kleed.

Kortom: het werd een beetje een rommeltje. Erg gezellig werd
het niet.

De hele verdere avond bleef iedereen chagrijnig. Niet alleen vanwege het ellendige eten, ook omdat mama en papa het maar niet
eens konden worden over de hoeveelheid bommen die we zouden gaan leggen.

Pas de volgende dag werd de sfeer weer wat beter. Want de volgende dag bedacht Michael zijn Briljante Bommen Plan.

# 19

# MICHAELS BRILJANTE BOMMENPLAN

Het ontbijt ging wat makkelijker dan het avondeten van de vorige dag. Papa en ik hadden met veel hulp van het woordenboek aan Kwetter uitgelegd dat ze bij ons aan tafel met mes en vork moest eten.

Daarvan moest ze een beetje huilen. In Boegoe-Boegoe is het zeer onbeleefd om iemands kledder te weigeren, of iemand geen kledder toe te spugen. Dat betekent daar zoiets als: ik heb

een vreselijke hekel aan je en ik wil je nooit van m'n leven meer zien.

Wij verzekerden haar dat we dat echt niet bedoelden, dat we haar juist erg aardig vonden en dat we hoopten dat ze lang bij ons zou blijven. Daar werd ze wat rustiger van. Maar met mes en vork eten, dat kon ze echt niet. Het werd toch nog een behoorlijke troep.

Na het ontbijt gingen papa, Kwetter en ik verder met het woordenboek. Michael hielp mama de bomspullen naar binnen te sjouwen. Hij vond het machtig interessant, die bommen, en hij wilde heel precies weten waar alles voor was en hoe alles werkte.

'Die mobieltjes, bijvoorbeeld. Wat hebben die nou met bommen te maken?'

Mama vond het altijd leuk om dingen uit te leggen, vooral dingen die met haar werk te maken hadden. 'Een bom gaat niet vanzelf af, knul, die moet je aansteken. Bijvoorbeeld met een lucifer. Helaas werken lucifers alleen van dichtbij, dus je staat met je neus boven op de bom als-ie knalt. Buitengewoon slecht voor je gezondheid.'

'Ja, nee, je moet een lont gebruiken, dat weet ik ook wel hoor mam.'

'Een lont? Daar kan van alles mee misgaan, lieverd. Een lont kan te snel branden, of te langzaam, of per ongeluk uitgaan. Bovendien is een lont hopeloos ouderwets. Daar kun je echt niet meer mee aankomen. Iedereen lacht je uit.

Gelukkig is er nog een andere manier om een bom aan te steken. Niet met vuur, maar met elektriek. En een mobieltje werkt op elektriciteit, nietwaar? Als je een mobieltje vastkoppelt aan je bom, kun je vanaf de andere kant van de wereld naar dat mobieltje bellen, en in plaats van te rinkelen knalt-ie. Hard.'

'Slim,' vond Michael. 'En die hondenkoekjes? Ga je daar ook een bom van maken?'

'Niet precies,' zei mama met een geheimzinnige glimlach. 'En nu: genoeg gekletst! Aan de slag!'

Het huisje dat papa had gehuurd was vrij groot. Het had vier slaapkamertjes: een voor mijn ouders, een voor mij en Kwetter en een voor Michael. In de vierde slaapkamer zette mama alle buisjes en branders en schrapers en schudders neer.

'Zijn dat spullen van je werk?' vroeg Michael.

'Uit het reservelab,' knikte mama. 'Soms kunnen we een tijdje het gewone laboratorium niet gebruiken, bijvoorbeeld omdat er giftige dampen hangen, of enge ziektekiemen zijn losgebroken, of gewoon omdat het ontploft is. Daar hebben we het reservelab voor. Zo kan de wetenschap altijd verder, en zo hoort het ook. En ik heb nog meer meegenomen.' Ze haalde een grote kist tevoorschijn. Er zaten allerlei flesjes en potjes in, met poeders en klontjes en veelkleurige vloeistoffen.

'Wat is dit allemaal?' vroeg Michael.

'Dit is wat de meeste mensen bedoelen als ze het hebben over "al die chemische troep",' zei mijn moeder. 'Voor iemand die weet wat-ie doet, zijn deze flesjes niet gevaarlijker dan kraanwater. Maar als je er geen benul van hebt, kun je doodgaan als je alleen maar een flesje opendoet. Ik weet natuurlijk precies wat ik wanneer en hoe moet mengen om drop-appelsap-bommen te maken. Even kijken...' Ze doorzocht de kist met flesjes en potjes en haalde er een glazen buisje uit. In het buisje zat een doorzichtig, olieachtig spul. Mama stak het in haar binnenzak, alweer met een geheimzinnige glimlach.

'Wat is dat?' vroeg Michael.

'Niks bijzonders, lieverd,' zei mama. 'Niks wat jij hoeft te weten. Geef me het eerste pak appelsap maar aan, dan kunnen we beginnen met de bommen.'

Al snel verspreidden de meest afschuwelijke geuren zich door het huisje, vanuit slaapkamer 4.

Papa zette snel alle ramen tegen elkaar open. De geuren verwaai-

den, maar we zaten lelijk op de tocht.

'Splierp,' huiverde Kwetter. Dat betekent 'warm', zocht ik op in het woordenboek. Raar, ze zat te bibberen en ze had kippenvel, ze had het helemaal niet warm... Na een tijdje bladeren in het woordenboek begreep ik het: in het Boegoe-Boegoenees is er geen woord voor koud, omdat het in Boegoe-Boegoe nooit koud is. Er zijn daar alleen woorden voor 'warm', 'heet', 'gloeiend heet' en 'pest-pokke-plof-heet'. 'Warm' was het koudste woord dat Kwetter kende. Ze kon alleen klagen over de kou, door te zeggen dat ze het warm had.

Langzaam begonnen we elkaar te begrijpen. Zo kon ze min of meer vertellen hoe ze hier terechtgekomen was. Ontvoerd was ze, uit het oerwoud waar ze woonde, door een groep woeste kerels die haar verkocht aan Snoet. Snoet probeerde haar door te verkopen, maar niemand wilde een oranje kindje hebben. De mensen wilden kindjes die op hen leken, zodat ze konden doen of het hun eigen kind was. Of ze wilden kindjes om het huishouden te doen, de afwas en zo, maar wat heb je dan aan een oerwoudmeisje, dat nog nooit een glas of een bord heeft gezien? Laat staan een afwasborstel.

Ten slotte had Snoet haar aan Smek verkocht, om er dan maar Mjamburgers van te maken. Beter dan niks.

Maar Smek was niet gewend aan kinderen uit Boegoe-Boegoe. Boegoe-Boegoeneesjes zijn sterk en snel en lenig en handig. Ze weten misschien niet hoe zoiets eenvoudigs als een sleutel werkt, en een deurklink vinden ze ook tamelijk raadselachtig, maar als ze ergens een open raampje zien, dan klimmen ze erdoor. Maakt niet uit hoe klein het is. Maakt niet uit hoe hoog boven de grond.

Kwetter was uit de fabriek ontsnapt en Smek had Snoet erbij moeten halen om haar terug te vinden.

Ze sloten haar op in een geheime, betonnen kelder onder een kippenhok.

Het betonnen kippenhok van meneer Dogger.

Had Kwetter even geluk! Want in dat kippenhok woonde een haan, waar mijn moeder een hekel aan had. Boem! Weg kippenhok. De klap was groot genoeg om een gat in het dak van de kelder te maken, maar niet om de boel te laten instorten. Kwetter kon ervandoor.

Een paar weken lang had ze zich verstopt. Af en toe at ze uit vuilnisbakken. Zoals die op de parkeerplaats, waar ik haar gezien had.

Kort nadien was ze weer gevangen genomen, en weer opgesloten. Dit keer op de allerveiligste plek die de schurken konden verzinnen. In de grote kluis onder het hoofdkantoor van de Doggersbank.

Had Kwetter even geluk. Want mijn moeder had een hekel aan de Doggersbank. Boem! Weg bank.

Toen Kwetter hoorde dat het mijn moeder was, aan wie ze twee van haar ontsnappingen te danken had, was ze niet meer te houden. Ze rende springend en stuiterend naar kamer 4 en sprong mijn moeder in de nek.

'He!' gilde mama die net op het punt stond om een paar korreltjes uit een grijs potje te laten vallen in een akelige bruine vloeistof, die stond te borrelen boven een gasbrander. 'Levensgevaarlijke gek! Weet je niet wat ik hier aan het doen ben? Als ik iets teveel had gemorst, hadden we nu aan duizend flarden in de duinen gelegen!'

Kwetter lette niet op haar protesten. Met haar oersterke armpjes knuffelde ze mijn moeder zo hard, dat die geen adem meer kreeg en pas toen mama paars begon te worden, liet Kwetter weer los. Ze gaf mama tientallen kusjes, honderd misschien wel, en stak haar neus in mama d'r oor. Dat laatste is kennelijk een Boegoe-Boegoe-gebaartje voor 'bedankt'. Ze was zo blij, en zo lief, dat mama onmogelijk boos kon blijven.

'Jaja, 't is al goed,' lachte ze.

'Jaja,' zei Kwetter trots, want 'ja' kende ze al.

'Hoe staat het met de bommen, schat?' vroeg papa, die erbij was komen staan.

'Het gaat goed, joh!' riep Michael enthousiast. 'We hebben er al tien!'

'Oh,' zei papa met een veelzeggende blik naar mama. 'Dan zijn jullie dus eigenlijk al klaar.'

'Niks ervan,' zei mama met een ijskoude blik terug. 'Tweehonderd. Tweehonderd bommen gaan we maken en geen bom minder. Nog geen vuurpijl minder.'

'Lieve schat,' gromde papa, 'ontploffingen vallen nogal op. Na tien bommen staat het hele land op zijn kop.'

'Lieve schat,' siste mama, 'dat interesseert me geen bal.'

'Eh,' zei Michael. 'Als we nou eens...'

'Als we nou eens wat?' vroegen papa en mama zonder elkaar uit het oog te verliezen.

'Ik heb een plan,' verkondigde Michael. 'Een heel simpel plan, een kind zou het kunnen verzinnen.'

'Michael,' zei ik, 'een kind *heeft* het verzonnen. Jij namelijk.'

'Ja, dat zei ik toch?'

'Nee, dat zei je niet. Je zei: een kind *zou* het *kunnen* verzinnen, en dat is...'

'Zouden jullie het heel erg vinden om de kinderachtige ruzies voor later te bewaren?' vroeg mama. 'Ik wil dat plan wel eens horen.'

'Het is echt heel simpel. Het is een manier om tweehonderd bommen te leggen zonder dat het opvalt. Wat zeg ik - het is niet *een* manier, het is de *enige* manier! Wat je doet is: je legt elke nacht bommen bij drie of vier gebouwen. Je verstopt ze heel erg goed, zodat niemand ze ziet en *je laat ze niet ontploffen!* Dan vallen ze ook niet op! Slim, hè?'

Mama haalde diep adem. 'Lieverd,' zei ze hoofdschuddend. 'Dat slaat nergens op. Bommen zijn er om te ontploffen. Niet om te

verstoppen. Wat heeft het voor zin om tweehonderd bommen te maken, als je er niks mee opblaast?'

'Oh,' zei Michael triomfantelijk, 'je blaast er natuurlijk wel van alles mee op. Maar dat doe je niet meteen. Dat komt aan het eind pas, als alle tweehonderd bommen op hun plek liggen. Na een maand of twee. Dan stuur je een berichtje aan al die tweehonderd telefoontjes, en je laat *alle bommen tegelijk* ontploffen.'

'Ha!' Papa sloeg Michael op zijn schouder. 'Jongen,' zei hij, 'dat is een geweldig plan. Wat vind jij ervan, liefste?'

'Ik vind het ongelooflijk,' zei mama. 'Ik ben de beste scheikundige van het land, dat wil zeggen: ik ben superslim, en bovendien ben ik 33 jaar ouder dan Michael – en toch verzint hij een beter plan dan ik. Een *veel* beter plan, zo goed dat ik nu al niet meer begrijp hoe ik ooit iets anders heb kunnen bedenken. Michael jongen, je bent een waardige zoon van je moeder. Aan het werk! We moeten nog honderdnegentig bommen maken. En dan zullen we ze eens wat laten zien, die schurken met hun bazooka en hun tank en hun Vreselijke Vleeshakker!'

En we gingen aan de slag.

# 20

# NOORD-MALLOTISCHE
# AMBASSADEUR
# DIENT KLACHT IN

De hele verdere dag maakten mama en Michael bommen. Papa ging met de auto een beetje rondkijken. Kwetter en ik bleven thuis, om met elkaar te leren praten.

Aan het einde van de middag kwam papa terug.

'Jongens,' zei hij tevreden, 'ik heb een paar mooie dingen gevonden om te bombarderen. Een uurtje rijden van hier ligt een klein stadje. Ze hebben daar werkelijk alles wat we ons maar kunnen wensen: een Cockel-benzinepomp, een SmikSmek Mjamburgerbar en een Doggersbank.'

'Heel goed,' zei mama. 'Die zullen we eens een bezoekje brengen, vannacht als iedereen slaapt.'

'Ik heb al een paar plannen gemaakt,' zei papa. 'Die vertel ik jullie straks wel.'

We trokken allemaal donkere kleren aan die nacht en papa reed ons naar het stadje. Onder het rijden legde hij ons zijn plannen uit. Ik vertaalde alles zo goed mogelijk voor Kwetter. Die werd buitengewoon enthousiast bij de gedachte dat wij de schurken een lesje gingen leren. 'Jaaaa! Boemmm! Haha! Boemmm!' Er volgde een heleboel gebrabbel en getjirp, zo haastig dat ik er niet het kleinste woordje van kon volgen. Ten slotte greep ze mij bij mijn elleboog en zei dringend: 'Kwetter ook! Kwetter ook!' Ze moest en ze zou meedoen met onze plannen. Ik kon haar geen ongelijk geven: die schurken hadden haar ontvoerd, verkocht, in betonnen kelders opgesloten en in de gehaktmolen gejaagd. 'Natuurlijk mag Kwetter ook meedoen,' zei papa. 'Graag zelfs!'

De Cockel-pomp was de hele nacht open. Dat was fijn voor de mensen die 's nachts benzine wilden tanken, maar minder prettig voor Wilma, want die moest de hele nacht achter de kassa. Saai. Soms waren er wel drie uur achter elkaar geen klanten. Dan zat Wilma een beetje te breien, of ze las een tijdschrift. Steeds keek ze met een half oog naar de schermpjes naast haar kassa. Er waren camera's rond het pompstation opgesteld, om te kijken of er misschien dieven waren of zo. Maar die waren er nooit. Saai.

Er kwamen twee mensen binnen. Een man en een meisje. Vader en dochter?

Ze liepen naar de toonbank. De man wankelde een beetje en leunde op de schouder van het meisje. Toen ze bij de kassa kwamen, leunde hij zwaar voorover, met allebei z'n ellebogen op de

139

toonbank, en keek Wilma lodderig in de ogen.

'Hazzoo,' zei hij met een scheve grijns. 'Hebze juzzie ook wat te drinken?'

'We hebben koffie en thee,' zei Wilma stijfjes.

'Ik mot geen koffie,' foeterde de man. 'Ik mot wat zterkers. Wat hartigers, znappie? Bierrrr! Of een... borrelll!'

'Hebben we niet,' zei Wilma. 'Dronken mensen mogen niet in auto's rijden.'

'Hoor je dat, papa?' vroeg het meisje smekend.

'Ik mag toch zeker doen wazzik zelluf wil!' brulde de man woest. 'Tuurlijk hebbe ze hier wel drinken. Ze hebze 't verztopt, de rozzakke! Maar ik vind het wel! Daarzo! Achter de zakke met zjips!' Hij doorzocht de plank met chips, maar daar was geen drinken. En er was geen drinken achter de tijdschriften en ook niet onder de handdoeken van de zegeltjesactie. De man werd steeds kwader, op 't laatst stond hij stampvoetend te gillen: 'Ik heb dors! Ik mot drinken! Auwauw!' Dat laatste riep hij omdat hij op zijn eigen tenen had gestampvoet. Hij greep zijn pijnlijke tenen vast en hinkte vloekend in het rond. Maar wie op twee benen al wankelt, die kan beter niet gaan hinkelen. Met een dreun viel de man tegen een kastje met dropjes en flessen smeerolie. De hele vloer werd een rotzooi van drop en glibber, en daartussen lag de man nog een tijdje te tieren.

Het meisje keek met droevige, smekende ogen naar Wilma.

Arm kind, dacht Wilma. Zo'n afschuwelijke vader. Niet alleen te veel drinken maar ook nog gaan rijden *met je kind in de auto*! Wat een slecht, slecht mens! Iemand zou d'r iets aan moeten doen, dacht Wilma. Waarom stapt er niemand op die man af en zegt: u bent een gevaar voor uzelf en voor anderen? Waarom doet niemand dat? Ja, omdat er niemand is natuurlijk, maar goed... iemand zou er iets aan moeten doen, dat is zeker.

Ze keek met medelijdende blik naar het meisje. Met haar ogen probeerde ze te zeggen: niet alle grote mensen zijn zoals je va-

der hoor, er zijn ook goeien bij. Kijk maar naar mij. Als er hier iemand geweest was, zou ik zeker tegen 'm hebben gezegd dat hij er iets aan moest doen. Goed van mij, hè?

Vreemd genoeg leken haar vriendelijke blikken het meisje niet erg gerust te stellen.

De vader krabbelde overeind, greep zijn dochter bij de elleboog en verdween mompelend in de nacht.

Hoofdschuddend keek Wilma ze na.

Al die tijd had ze niet op haar schermpjes gekeken.

Daardoor had ze niet gezien hoe een kleine, in het zwart geklede gestalte razendsnel langs een regenpijp het dak op geklauterd was. En even later weer naar beneden. Het was een raar, schuin dak, met allerlei gekke hoekjes. In een van die hoekjes lag nu, bijna onzichtbaar, een donkergrijze vuilniszak, stevig bevestigd met sterk zwart plakband.

De eerste bom.


'Wat was ik goed, hè?' zei papa terwijl we naar de auto liepen. 'Die dame dacht echt dat ik dronken was.'

'Heel goed,' knikte ik, 'maar ik was beter. Zag je hoe zielig ik keek? De dame kon haar ogen niet van me afhouden.'

'Nee, natuurlijk zag ik niet hoe zielig je keek,' zei papa. 'Ik lag dronken op de grond te vloeken. Daar moet je goed je hoofd bij-houden, hoor. Bah. Er zit smeerolie aan mijn jas.'

Mama, Kwetter en Michael zaten al te wachten in de auto.

'Het ging geweldig,' vertelde mama. 'Als ik niet beter wist, zou ik denken dat Kwetter vleugeltjes had, zó snel zat ze op het dak. En de zak is vanaf de grond niet te zien, zelfs niet als je weet waar-ie ligt.'

'Mooi zo,' zei papa. 'Dat is dan één.' Hij startte de auto. 'Op naar nummer twee!'

Vrolijk zingend van 'We gaan nog niet naar huis' reden we naar het SmikSmek-restaurant. Daar propte Kwetter vuilniszak

nummer twee achter de grote goudgele neon-S van het uithang-bord.

Voor zak nummer drie klom Kwetter door het achterste zolder-raampje van de Doggersbank, terwijl Michael en ik bij de voor-deur een onzinverhaal stonden op te hangen tegen de nachtwa-ker. 'We zijn verdwaald, snik snik, we zijn onze papa en mama kwijhijhijt!'

'Het is midden in de nacht, jullie horen in bed te liggen.'

'Maar we kunnen ons bed niet vihihinden! Wèèèh!'

Het is werkelijk verbluffend hoe grote mensen in de war kunnen raken van huilende kinderen in het holst van de nacht. We hiel-den hem wel tien minuten bezig. Ruim voldoende voor Kwet-ter.

De eerste nacht was een volmaakt succes.

En de tweede nacht ook, de derde, de vierde...

Niemand merkte iets van onze bommenleggerij. Elke dag lezen we gespannen alle kranten, op zoek naar berichtjes als:

> BOM GEVONDEN BIJ BENZINESTATION
>
> *In een Cockel-benzinestation is gisteren een vuilniszak gevonden met een grote lading springstof erin. In het hele land worden nu alle benzinestations, banken en Mjam-burgerbars doorzocht of er misschien nog meer bommen liggen.*

We vonden niet één zo'n berichtje. Kwetter was een kei in het verstoppen, blijkbaar.

Wel vonden we een heel ander krantenbericht:

> NOORD-MALLOTISCHE AMBASSADEUR DIENT
> KLACHT IN
>
> *Gisteren kreeg onze minister-president bezoek van de*

*heer Potcheplov, de ambassadeur van Noord-Mallotië.*
*Potcheplov kwam zijn beklag doen over wat hij noemde*
*'een laffe, nergens op slaande aanval van het Nederlandse*
*leger op mijn vaderland.' Volgens de heer Potcheplov ver-*
*scheen eergisteren geheel onverwacht een hypermoderne*
*tank bij de Noord-Mallotische grens. Deze tank, van het*
*type Knalhapper Plus, reed dwars door de slagbomen en*
*schoot twee douanehuisjes in puin. Vervolgens trok hij een*
*spoor van vernieling door het Noord-Mallotische binnen-*
*land, om ten slotte in de hoofdstad Gmoesk tot stilstand*
*te komen tegen het Graf van de Onbekende Soldaat.*
*'En als de benzine niet op was geweest,' aldus de heer Pot-*
*cheplov, 'dan had hij vast nog veel meer verwoestingen*
*aangericht.'*
*Uit de tank kwamen twee tamelijk verwarde, maar opge-*
*luchte Nederlandse politieagenten tevoorschijn, die zich*
*onmiddellijk overgaven aan een toevallig passerende*
*schaapherder.*
*De schaapherder is onderscheiden met de Zilveren Kruml*
*voor Verdiensten aan het Vaderland. De agenten zijn in de*
*nor gesmeten.*
*Het Nederlandse Ministerie van Defensie ontkent elke be-*
*trokkenheid bij het voorval.*

'Hebben wij even geluk gehad,' zei Michael. 'We hebben nauwe-
lijks een half uur in dat kreng opgesloten gezeten! Voor hetzelf-
de geld waren we in Noord-Mallotië terechtgekomen...'
'Staat er nog iets in over gevonden bommen?' vroeg mama.
'Nog steeds niet.'
'Hoeveel hebben we er nu verstopt?' vroeg ik.
'Zevenenveertig,' riep papa vanuit de keuken.
'Zullen we de boel maar eens opblazen dan?' zei ik. 'Zevenen-
veertig is een heel behoorlijk aantal. Hoe langer we wachten,

hoe meer kans dat ze ontdekt worden.'

'Niks ervan,' zei mama streng. 'Tweehonderd en geen vuurpijl minder, heb ik gezegd. Begin je soms bang te worden?'

'Ach nee,' zuchtte ik.

Om heel eerlijk te zijn: ik begon me te vervelen. Elke dag was hetzelfde: papa ging met de auto op weg om doelwitten te zoeken. Mama maakte bommen, met behulp van Michael of mij. Degene die niet hielp met de bommen bestudeerde het woordenboek, samen met Kwetter. Michael, Kwetter en ik verstonden elkaar intussen al heel aardig. We hadden een soort eigen taaltje, half Nederlands, half Boegoe-Boegoenees.

Kwetter bleek trouwens helemaal geen Kwetter te heten. Maar haar echte naam was wel tachtig letters lang en we slaagden er maar niet in die te onthouden. Bovendien is 'Kwetter' Boegoe-Boegoenees voor een klein, pluizig diertje dat nootjes knabbelt, zoiets als een eekhoorntje (maar het is dus geen eekhoorntje). Onze Kwetter vond dat zulke schattige beestjes, dat ze er heel vrolijk van werd als we haar zo noemden.

Nou - dan noemden we haar toch zo. Geen probleem.

Zo gingen de dagen voorbij. Bommen maken, Boegoe-Boegoenees oefenen, plannetjes uitdenken... 's Avonds verstopten we de vuilniszakken en dan hup, naar bed, want morgen moest er weer gewerkt worden.

We verstopten vijftig bommen... honderd... honderdvijftig... honderdzestig... honderdéénenzestig...

Bij bom nummer honderdtweeënzestig ging het mis.

# 21

# TERUG NAAR
# DE FABRIEK

'Vanavond gaan we het doen,' zei mama vastberaden.

'Wat?' vroegen wij. 'Wat gaan we doen?'

'We gaan de Mjamburgerfabriek opblazen.' Ze hield een vuilniszak omhoog. Hij was groter en dikker en voller dan alle zakken

tot nu toe. Aan haar voeten lagen nog drie van zulke zakken. Vier grote superbommen. 'Ik ga die afschuwelijke fabriek tot op de laatste steen afbreken,' zei ze grimmig.

'Joepieie,' riep Kwetter. 'Boemmm! Boemmm de fabriek!'

'Nou en of,' zei mama. 'Moet er nog iemand plassen?'

Ja. We moesten allemaal.

Twee uur later zaten we verscholen in de nachtzwarte struiken. Voor ons lag de enorme, lege parkeerplaats. Daarachter lag de fabriek, stil en duister, als een slapend groot beest.

Even dacht ik: hij ligt ons op te wachten. Zodra we bij 'm in de buurt komen, zwiept er een of andere mechanische klauw uit en rats, we zitten vast. Dat was natuurlijk onzin; dat soort dingen gebeurt alleen in tekenfilms.

'Ik tel tot drie,' zei mama. 'Dan rennen we met z'n vijven de parkeerplaats over. Ga zo snel mogelijk, maar blijf dicht bij elkaar! Één... twee... drie!'

We renden de parkeerplaats over. Gelukkig hoefde ik geen zak te dragen, omdat ik het minst sterk was. Kwetter was kleiner dan ik, maar ze was heel sterk en ze droeg zo'n zak zonder moeite. Mijn ouders renden puffend achter haar aan. Helemaal als laatste volgde Michael, die wankelde onder het gewicht van zijn zak.

'Zal ik helpen?' vroeg ik.

'Ja, graag,' pufte hij. 'Volgens mij hebben ze mij de zwaarste zak gegeven.'

'Volgens mij zijn ze allemaal even zwaar,' hijgde ik terug.

'Neehee,' snauwde mijn broer, 'de mijne is zwaa-haar-der!'

Ik zei niks terug. Ik had al mijn adem nodig om te hijgen.

De fabrieksmuur wierp een smalle, maar inktzwarte schaduw. Daar konden we even uitblazen, zonder gezien te worden.

Daarna gingen we op zoek naar het raampje waardoor Kwetter destijds ontsnapt was. Kijken of het nog openstond.

Nee, natuurlijk niet. Dichtgetimmerd.

We slopen voorzichtig rondom de fabriek, op zoek naar nog zo'n raampje. Of een luikje of wat dan ook.

Alles zat potdicht.

'Nou ja,' zei mama, 'dan leggen we alles op het dak. Minder effectief, maar beter dan niks.' Ze legde aan Kwetter uit wat de bedoeling was.

'Fabriek niet boem?' vroeg Kwetter ongerust.

'Jawel,' zei mama moedeloos, 'toch best nog wel boem hoor. Niet helemaal kapot misschien, maar...'

Dat beviel Kwetter niet. Geen steen op de andere, was haar beloofd. Ze perste haar lippen tot een streepje en staarde kwaad naar de fabriek. Plotseling klaarde haar gezicht op: 'Kwetter gaat in buis!' riep ze blij. 'Hoge buis! Bovenop!' Ze wees op de schoorsteen.

'Eh...' zei papa, 'ik weet niet of dat wel veilig...'

Maar Kwetter was al halverwege de regenpijp.

'Je vergeet de zakken!' riep Michael.

'Doe niet zo suf,' zei ik nors. 'Hoe kan ze nou vier enorme zakken meeslepen, dat hele eind naar boven en dan door de schoorsteen? Ze gaat natuurlijk van binnenuit een raampje opendoen.'

'Eh,' zei mama, 'hebben jullie haar dat dan uitgelegd? Hoe dat werkt met sleutels en sloten en deurklinken en zo?'

'Tuurlijk,' zeiden wij verontwaardigd. 'Ze heeft dit soort dingen toch al vaker gedaan?'

'Oh ja.'

We keken hoe Kwetter over het dak rende en aan de beklimming van de schoorsteen begon.

Op dat moment hoorden we iets. Een bekend geluid, bekend en gehaat.

Een walgelijk gerochel, gereutel en gehijg.

Zijn korte kromme pootjes galoppeerden als een razende; een regen van kwijl en snot spatte van zijn kop. In zijn bloeddoor-

lopen oogjes glom een moordlustige waanzin. Deze hond blafte niet. Deze hond ging bijten.

'Kijk eens wie we daar hebben,' zei mijn moeder grimmig. 'Eduard, haal die zakken hier weg, nu meteen!'

Papa keek verbaasd, maar vroeg niet van wat of waarom. Hij sleepte de zakken met springstof haastig de hoek om.

Intussen haalde mama wat spullen uit haar binnenzak.

Een buisje met een doorzichtige, olieachtige vloeistof erin. Het buisje waar ze zo geheimzinnig over gedaan had.

En een hondenkoekje.

Ze druppelde wat van de vloeistof over het koekje heen en gooide het koekje in Snoesjes richting. Het beest staakte zijn gedraaf en keek van ons naar het koekje. Moordlust en vraatzucht streden om voorrang in zijn lelijke kop.

De vraatzucht won. Hij schrokte in één hap het koekje naar binnen.

Snel gooide mama nog wat koekjes met spul naar hem toe.

'Mama,' vroeg ik met weerzin, 'ben je nou een hond aan het vergiftigen?'

'Vergiftigen?' zei mama peinzend. 'Nee, dat niet precies. Ik jaag 'm alleen maar de schrik op het lijf.'

'Wat? Hoe?'

Mama wees op het geheimzinnige glazen buisje. 'Dit,' zei ze, 'is Protoflatuline. Een heel bijzonder stofje. Als je er water bij doet, breken de Protoflatuline en het water elkaar af...'

'Oh,' zei Michael, 'met van die moleculen.'

'Precies!' glunderde mama. 'Met van die moleculen! Ze maken elkaars moleculen kapot, en de stukjes vormen samen een nieuw stofje. Ook heel bijzonder spul. Het is een gas, dat Pyroflatuline genoemd wordt. Aangezien Snoesje vol water zit – hondenspuug bestaat voor een groot deel uit water, en spuug daar heeft hij meer dan genoeg van – en aangezien hij koekjes met Protoflatuline heeft gegeten, wordt er nu, in zijn buik, een

heleboel Pyroflatuline gemaakt. Kijk maar eens.'

Snoesje dribbelde zenuwachtig heen en weer. Hij keek naar zijn buik, en probeerde er met zijn achterpoot tegenaan te schoppen. Uit zijn binnenste klonk een walgelijk geborrel en geblub.

'Snoesje zit vol gas,' legde mama uit, 'en dat gas moet naar buiten. En het *gaat* ook naar buiten.'

'Eh... je bedoelt dat Snoesje een scheet gaat laten?' zei ik.

'Nouou,' knikte mama zuinigjes, 'Ik bedoel dat Snoesje een jeweetwel gaat laten. En niet zomaar een jeweetwel - nee, Pyroflatuline is een heel bijzonder gas. Als het in aanraking komt met de buitenlucht, vliegt het meteen in brand. Dus wat denken jullie, dat er zo meteen gebeurt?'

'Geen idee,' zeiden wij.

'Ik ook niet,' zei mama. 'Maar reken maar dat Snoesje zich voortaan wel twee keer zal bedenken, voordat hij mensen probeert te bijten.'

Daar zag het wel naar uit. Geheel in de war ging Snoesje zitten. Met zijn gat op de grond.

Dat had hij beter niet kunnen doen. Want op dat moment kwam de scheet. Met een misselijkmakend gerommel en geknetter ontsnapte er een lading gas uit Snoesjes achterkant. Maar omdat Snoesje op de grond zat, was die achterkant nu de onderkant.

En de scheet vloog niet gewoon in brand, zoals mama gezegd had. Nee, de scheet *ontplofte*.

Snoesje werd gelanceerd alsof hij een raket was. Wild blaffend werd hij weggeslingerd van het aardoppervlak. Honderden meters de nachtlucht in.

'Oei,' zei mama. 'Dat was nou ook weer niet de bedoeling. Dat beest gaat heel hard neerkomen, ben ik bang.'

Maar ze had ongelijk. Want we zagen een lichtflits, honderden meters boven ons, en we hoorden de echo's van een doffe knal. Snoesje had een tweede scheet gelaten. En even later kon je, als je heel goed keek, nog vaag een derde flits onderscheiden. Snoesje

was toen al zo hoog, dat we de knal niet meer konden horen.

'Wat voor den drommel hebben jullie met mijn hond gedaan?' schreeuwde iemand vlakbij ons.

We hadden alleen maar naar de lancering van Snoesje staan kijken en nergens anders op gelet.

Dat was dom, merkten we nu. Twintig meter bij ons vandaan stonden Snoet, Smek, Dogger en Bengbuk. Bengbuk droeg zijn bazooka-met-knaldemper. Dogger was zo rood van woede, dat hij wel een fietslampje leek. Hij gaf bijna licht.

'Dat was een buldog!' tierde hij. 'Een echte buldog met een stamboom. Weet je wel hoe duur die zijn?'

Snoet zei: 'Ziet u wel, heren, dat ik gelijk had? We hoeven ze niet te zoeken, zei ik. Ze komen vanzelf naar ons toe. Misdadigers keren altijd terug naar de plek van hun misdaad... Ik kan het weten.'

'Misdadigers?' riep mijn vader ongelovig. 'Zijn *wij* de misdadigers? Wat hebben we dan gedaan?'

'Jullie hebben een dure machine vernield, *dat* hebben jullie gedaan,' zei Smek.

'Maar jullie wilden ons tot gehakt malen!' riep ik. 'Jullie zijn hier de misdadigers!'

Snoet haalde zijn schouders op. 'Nou, ja, wij zijn óók teruggekomen, nietwaar? Een fijne reünie van misdadigers. Ik vraag me af waar dat oranje ettertje gebleven is... hebben jullie haar verkocht?'

Kwetter, dacht ik verschrikt. Die schurken hebben haar niet naar boven zien klimmen. Ze weten niet hoe dichtbij ze is. Maar wat als Kwetter terugkomt? Dat kan elk moment gebeuren... Als die schurken dan nog hier zijn, nemen ze haar ook gevangen. Nu is er tenminste nog één van ons vrij.

Ik kreeg plotseling buikpijn, zó bang was ik voor wat ik nu ging doen. Ik wist dat er maar één manier was om die schurken hier weg te krijgen. Wij moesten ons overgeven en met hen meegaan.

'*Kwetter is ontsnapt*,' zei ik terwijl ik mijn ouders nadrukkelijk aankeek. Papa knikte traag. Hij snapte wat ik bedoelde. Misschien wist hij zelfs wel wat ik van plan was.

'We geven ons over,' zei ik. 'We gaan met jullie mee.'

'Wat!?' riepen mama en Michael.

'Gaby heeft gelijk,' zei papa. 'Ze hebben een bazooka; hoe kunnen wij het nog winnen? Alles gaat mis, sinds die *Kwetter* is ontsnapt.'

Mama keek even naar de schoorsteen van de fabriek. Ze knikte.

'We geven ons over,' zei ze. 'Neem ons maar gevangen.'

'Goed,' zei Snoet.

Maar Dogger siste: 'Niks ervan. Die schurken hebben mijn hond opgeblazen. We schieten ze hier en nu aan flarden. Bengbuk, jij wou toch zo graag die bazooka uitproberen?'

'Zeker,' grijnsde Bengbuk. 'Boem of niet boem? Daar komen we nu dan eindelijk achter...' Hij mikte zorgvuldig.

'Nee,' siste mijn moeder. 'Niet met dat belachelijke, onlogische wapen.'

'Jawel,' grijnsde Bengbuk. 'Met dit wapen, en geen ander.'

Hij haalde de trekker over.

Er kwam geen knal. Er kwam alleen een lichtflits, en pijn, en bloed, en daarna was alles duisternis.

## 22

## BOEM

'Zie je wel?' kreunde mijn moeder. 'Ik *zei* nog: niet schieten met dat ding.'
Ik deed mijn ogen open. Iedereen lag op de grond. Papa en mama probeerden overeind te krabbelen.

'Ik heb pijn aan mijn oren,' zei Michael. 'Jullie ook?'

'Nou en of,' zei ik. Ik duwde mezelf omhoog van de grond, net zo lang tot ik rechtop kon zitten.

Twintig meter bij ons vandaan lagen Dogger, Snoet en Smek. Bewusteloos en onder het bloed. Bengbuk lag er niet bij. De bazooka was in zijn handen ontploft, en er was niet meer van hem over dan een zwartgeblakerde linkerschoen.

Kennelijk toch niet zo'n goed idee, een bazooka met knaldemper.

'Ik heb pijn aan mijn oren,' zeurde Michael weer.

'Dat hebben we allemaal, vertelde mama, 'en daar is ook een vrij simpele, wetenschappelijke verklaring voor. De luchtdruk, namelijk, neemt toe evenredig met...'

Op dat moment kwam Kwetter de fabriek uitgehuppeld. Ze had min of meer de kleur van Zwarte Piet. Schoorsteenzwart. 'Kwiekel kwiekel,' riep ze al van verre. 'Kwie... Ooooh!' Ze rende naar ons toe en hielp ons overeind. Papa wankelde in de richting van de schurken. 'Ze leven nog,' stelde hij vast. 'Veel bloed, maar het meeste is volgens mij van Bengbuk. Tja. Zij die naar het zwaard grijpen, zullen door het zwaard omkomen, hoor je wel eens. Maar dat dat ook voor bazooka's geldt, dat zeggen ze er dan weer niet bij. Schat, hebben we een verbandtrommel bij ons?'

'In de auto,' zei mama. 'Red je het in je eentje?'

'Tuurlijk. Ik heb wel zes keer een EHBO-cursus gedaan.'

'Hè!?' riep Michael. 'Ga je die schurken *beter* maken?'

'Beter maken, dat is wat veel gevraagd. Dat moet ik aan de dokters overlaten. Ik ga alleen maar zorgen dat ze niet doodgaan, en daarna bel ik een ambulance.'

'Maar,' protesteerde Michael, 'weet je wel wat ze met ons wilden doen?'

'Natuurlijk weet je vader dat,' zei mama. 'Dit zijn slechteriken, nietwaar, die doen dat soort dingen. En wat zijn wij? Slechteriken? Of zijn wij de goeien?'

'Wij zijn de goeien,' zei Michael zonder aarzelen.

'Precies,' zei mama. 'Daarom mogen we deze mensen niet laten doodbloeden. Goeieriken doen dat niet. Ik vind: ze verdienen niet beter. Maar ja, je bent een goeierik of je bent het niet.'

Papa ging de verbandtrommel uit de auto halen en mama ging met ons de fabriek in. We droegen ieder een zak. We verstopten onze zakken in de vier hoeken van de fabriek, op aanwijzing van mama.

Toen we buiten kwamen, had papa de schurken al min of meer schoongemaakt en verbonden.

'Schrammen en sneetjes,' zei hij schamper. 'Meer is er eigenlijk niet met ze mis. Ja, ze zijn bewusteloos natuurlijk. Eigenlijk mag je gewonden niet verplaatsen, maar ik denk dat het in dit geval toch beter is...?' Hij keek vragend naar mama.

Die knikte. 'Laten we ze maar naar de andere kant van de parkeerplaats sjouwen.'

Dat deden we. Daarna belde mama met het alarmnummer.

'Goedenavond. Ik heb een ambulance nodig voor drie personen. Bij de SmikSmek Mjamburgerfabriek, op de parkeerplaats. Gaat dat lukken? Fijn. Nee wacht, niet ophangen! Geef me nog even de politie.

Goedenavond agent. Hier spreekt de Donderkat. Luister goed. Over twintig minuten zullen er tientallen bommen afgaan in allerlei gebouwen. U heeft dus twintig minuten om te zorgen dat alle pompbedienden, nachtwakers enzovoort een veilig heenkomen vinden. Het gaat om de volgende bedrijven: tankstations van Cockel, SmikSmek Mjamburgerbars, Bengbuks wapenhandel en de Doggersbank.'

Mama zei natuurlijk niet waar de bommen precies lagen; ze zei alleen welke merken een knal konden verwachten.

'... *alle* bedrijven van de genoemde merken moeten worden leeggeruimd, begrepen? Alle!'

Ze zette haar telefoon uit en vroeg aan papa: 'Hoever is het rijden naar de grens?'

'Half uurtje,' zei papa.

'Op weg dan maar!'

We stapten in de auto en papa begon te rijden. We zongen van 'Potje met vet', tot en met het elfde couplet, en daarna begonnen we aan 'Tante in Marokko'. Maar we kwamen we niet verder dan 'Ze komt op twee kamelen' voordat we in slaap vielen.

Na een kwartiertje maakte mama ons wakker.

'Let op,' zei ze, 'daar gaat-ie!' Ze wees op haar mobiele telefoon. 'Ik tel terug vanaf drie. Tellen jullie mee?'

Nou en of wij meetelden!

'Drie... Twee... Één!' Mama drukte op een knopje op haar mobiel.

Heel even bleef het stil. Plotseling werd de hele nachthemel een seconde lang hel verlicht. En we hoorden:

BOEM

- de hardste klap uit de vaderlandse geschiedenis tot op heden.

We reden op een verlaten landweggetje, vlak bij de grens, maar zelfs daar konden we het donderende geraas horen waarmee honderdtweeënzestig schurkachtige gebouwen door het hele land, van Delfzijl tot Terneuzen, de lucht in vlogen.

Na de klap leek het opeens nog stiller dan daarvoor.

'Nou,' zei mama, 'dat was 'm dan. Ga maar weer slapen, liefjes. Ik maak jullie wel wakker als we op het vliegveld zijn.'

Maar we werden al ver vóór het vliegveld wakker, omdat mama haar mobiel ging.

'Mevrouw Laarmans?' vroeg een kalme, ijskoude stem.

'Met wie spreek ik?' vroeg mama.

'Cockel. U hebt een grote fout gemaakt, mevrouw Laarmans. U had mijn tankstations niet moeten bombarderen.'

'Hoe komt u aan mijn telefoonnummer? Hoe weet u dat ik het was?'

'Aan mij kunt u niet ontsnappen, mevrouw Laarmans.'
Cockel verbrak de verbinding.
'Volgens mij,' zei mama voorzichtig, 'hebben we een probleem.'
'Volgens mij ook,' zei papa. 'Die Cockel is geen grapjas. En zijn bedrijf zit overal. Overal waar benzine gebruikt wordt. Overal waar auto's rijden.'
'Overal dus,' zei mama moedeloos. 'Of ken jij een land waar niemand autorijdt?'
'Kjet,' zei Kwetter.

Drie uur later wankelden we, nog altijd half slapend, een vliegtuig in. Kwetter was nog steeds helemaal zwart, maar dat was juist goed volgens mama. Misschien stonden er wel mensen op de uitkijk naar een gezin met een oranje kindje... nee, laat die Kwetter maar lekker zwart, voorlopig.
We bleven twee dagen lang reizen. Vliegtuig in, vliegtuig uit, soms een stukje met de trein of de bus. Soms zagen we ergens een tv aanstaan, of papa kocht een krant.
Op alle tv-journaals ging het over ons. En in de kranten ook. Wij waren wereldnieuws. Zo hoorden we, tot onze grote tevredenheid, dat er niet één gewonde was gevallen bij de hele actie.
Één keer zagen we een ander nieuwtje dat ons interesseerde: een gesprek met een astronaut van het Internationale Ruimtestation.
'Goedemorgen, Majoor Tom,' zei de interviewer. 'Wij hebben gehoord dat u iets heel wonderlijks gezien heeft. Klopt dat?'
'Jazeker,' zei Majoor Tom.
'Wat heeft u gezien dan?'
'Een hond. Een hond die door de ruimte vloog. Vlak langs mijn raampje.'
'Maar in de ruimte kan een hond toch niet ademen?'
'Och, dit was een buldog, en die kunnen sowieso al nauwelijks ademen. Dus dat is-ie waarschijnlijk wel gewend. Bovendien was

het beest stijf bevroren. In de ruimte is het nogal koud, moet u weten...'

'Waar kwam die hond vandaan dan?'

'Geen idee. Hij leek op weg naar Sirius, maar het zal wel een paar miljoen jaar duren voordat hij daar aankomt.'

Majoor Tom had nog meer te vertellen, maar dat hoorden we niet want ons vliegtuig vertrok bijna en we moesten hollen om nog mee te kunnen.

Na het laatste vliegtuig namen we een boot, twee dagen over een groene slijmerige rivier, en daarna nog een week wandelen, en zo kwamen we waar we wezen wilden.

In Boegoe-Boegoe.

Daar wonen we nu. Tussen de oranje Boegoe-Boegoenezen. Ze zijn dol op ons, omdat wij Kwetter hebben teruggebracht.

Het heeft leuke en minder leuke kanten, het leven hier.

We zijn veilig voor meneer Cockel, dat wel, maar het leven is hier ook zonder hem al behoorlijk gevaarlijk. Het verbaast me niet dat Kwetter zo lenig en snel en sterk is.

Dat moet je wel zijn, in Boegoe-Boegoe. Er zijn grote wurgslangen en kleine gifslangen en panters en krokodillen en er zijn springspinnen zo groot als twee keer je vuist. Soms heb je maar drie seconden om hoog in een boom te klimmen, anders ben je er geweest. Of je moet je opeens laten vallen, of naar beneden klauteren langs een kiyik.

Michael en ik beginnen het al aardig onder de knie te krijgen, maar papa en mama moeten nog steeds door de Boegoe-Boegoenezen geholpen worden. Dat zal altijd wel zo blijven.

De eerste tijd was Michael dolgelukkig: eindelijk kon hij zijn jungledoosje gebruiken! Dagenlang zat hij te vissen, met zijn nylon draad en zijn haakje.

Nooit ook maar het kleinste visje gevangen.

Zijn lucifers zijn al lang op. Hij is er nooit in geslaagd om hier een vuurtje te stoken.

Nu heeft hij zijn doosje weggegooid. Alleen zijn zakmes heeft hij nog. Daarmee zit hij de hele dag houtjes te snijden en te bewerken.

Hij maakt er vorken van, en messen en lepels.

Hij heeft heimwee naar onze ontbijtjes, toen we nog lekker met bestek mochten eten. Dat kunnen we nu wel vergeten. Nu moet het op zijn Boegoe-Boegoes; daar is mama heel streng in.

'Michael,' commandeert ze, 'gooi onmiddellijk die vork weg. En trek die onderbroek uit. Hoe vaak moet ik het nog zeggen? We zijn hier niet in de binnenlanden van Nederland! Vooruit, doe je mond open, hier komt je ontbijt!'

En jawel:

Flatsj!

Misschien went het wel.

Hopelijk went het snel.

# WAT IK NOG EVEN WILDE ZEGGEN...

Voor zover ik weet, is er geen enkel restaurant dat gestolen kinderen door de vleeswaren maalt. Het stelen van kinderen komt in Nederland sowieso niet zo heel vaak voor (maar neem voor de zekerheid geen snoepjes aan van vreemden). Er zijn helaas wel landen waar het vaker voorkomt. Ik geloof niet dat Nederlandse bankiers echt zo schurkachtig zijn als meneer Dogger - met kinderdiefstal houden ze zich heus niet bezig.

Tot mijn spijt moet ik zeggen dat vrijwel alle andere schurkenstreken van Dogger en zijn vrienden - het mishandelen van dieren, het platbranden van oerwouden, wapenhandel, kinderarbeid, oorlog, moord en slavernij - wel echt gebeuren, en ook echt met medewerking van Nederlandse banken. Meestal gaat dat een beetje via via, bijvoorbeeld: een bank leent geld aan een bedrijf dat olie koopt van een regering die mensen vermoordt. Soms gaat het ook behoorlijk direct, zoals met de mishandelde varkens.

Treurig maar waar: banken zijn er om geld te verdienen, en schurkenstreken leveren nou eenmaal veel geld op.

Gelukkig zijn er ook een paar bankbedrijven die niks met schurkenstreken te maken willen hebben. Het zijn maar kleine banken, want geld verdienen is een stuk lastiger als je eerlijk blijft. Maar ze bestaan, dus het *kan* wel. Eigenlijk zouden meer mensen hun spaargeld op een eerlijke bank moeten zetten.

Wat je zeker *niet* moet doen, is zelf bommen in elkaar knutselen of tot ontploffing brengen. Dat is levensgevaarlijk en je mag het alleen doen onder begeleiding van een ervaren en verantwoordelijke volwassene.

Maar ja, vind maar eens ergens een verantwoordelijke volwassene.